総合判例研究叢書

労働法 (10)

職場内の組合活動………………青木宗也
合併・営業譲渡・解散と
労使関係………………………慶谷淑夫
企業閉鎖と偽装解散……………高島良一

有斐閣

序

フランスにおいて、自由法学の名とともに判例の研究が異常な発達を遂げているのは、その民法典が百五十余年の齢を重ねたからだといわれている。それに比較すると、わが国の諸法典は、まだ若い。最も古いものでも、六、七十年の年月を経たに過ぎない。しかし、わが国の諸法典は、いずれも、近代的法制を全く知らなかつたところに輸入されたものである。そのことを思えば、この六十年の間に極めて重要な判例の変遷があつたであろうことは、容易に想像がつく。事実、わが国の諸法典は、それに関連する判例の研究でこれを補充しなければ、その正確な意味を理解し得ないようになつている。

判例が法源であるかどうかの理論については、今日なお議論の余地があろう。しかし、実際問題として、多くの条項が判例によつてその具体的な意義を明かにされているばかりでなく、判例によつて特殊の制度が創造されている例も、決して少くはない。判例研究の重要なことについては、何人も異議のないことであろう。

判例の創造した特殊の制度の内容を明かにするためにはもちろんのこと、判例によつて明かにされた条項の意義を探るためにも、判例の総合的な研究が必要である。同一の事項についてのすべての判決を採り、取り扱われた事実の微妙な差異に注意しながら、総合的・発展的に研究するのでなければ、判例の研究は、決して終局の目的を達することはできない。そしてそれには、時間をかけた克明な努力を必要とする。

幸なことには、わが国でも、十数年来、そうした研究の必要が感じられ、優れた成果も少くないようになつた。いまや、この成果を集め、足らざるを補ない、欠けたるを充たし、全分野にわたる研究を完成すべき時期に際会している。

かようにして、われわれは、全国の学者を動員し、すでに優れた研究のできているものについては、その補訂を乞い、まだ研究の尽されていないものについては、新たに適任者にお願いして、ここに「総合判例研究叢書」を編むことにした。第一回に発表したものは、各法域に亘る重要な問題のうち、研究成果の比較的早くでき上ると予想されるものである。これに洩れた事項でさらに重要なもののあることは、われわれもよく知つている。やがて、第二回、第三回と編集を継続して、完全な総合判例法の完成を期するつもりである。ここに、編集に当つての所信を述べ、協力される諸学者に深甚の謝意を表するとともに、同学の士の援助を願う次第である。

昭和三十一年五月

編集代表

小野清一郎　宮沢俊義

末川博　我妻栄

中川善之助

凡例

一　判例の重要なものについては、判旨、事実、上告論旨等を引用し、各件毎に一連番号を附した。

二　判例年月日、巻数、頁数等を示すには、おおむね左の略号を用いた。

大判大五・一一・八民録二二・二〇七七　（大審院判決録）

（大正五年十一月八日、大審院判決、大審院民事判決録二十二輯二〇七七頁）

大判大一四・四・二三刑集四・二六二　（大審院判例集）

最判昭二二・一二・一五刑集一・一・八〇　（最高裁判所判例集）

（昭和二十二年十二月十五日、最高裁判所判決、最高裁判所刑事判例集一巻一号八〇頁）

大判昭二・一二・六新聞二七九一・一五　（法律新聞）

大判昭三・九・二〇評論一八民法五七五　（法律評論）

大判昭四・五・二三裁判例三・刑法五五　（大審院裁判例）

福岡高判昭二六・一二・一四刑集四・一四・二一一四　（高等裁判所判例集）

大阪高判昭二八・七・四下級民集四・七・九七一　（下級裁判所民事裁判例集）

最判昭二八・二・二〇行政例集四・二・二三一　（行政事件裁判例集）

名古屋高判昭二五・五・八特一〇・七〇　（高等裁判所刑事判決特報）

東京高判昭三〇・一〇・二四東京高時報六・二民二四九　（東京高等裁判所判決時報）

札幌高決昭二九・七・二三高裁特報一・二・七一（高等裁判所刑事裁判特報）
前橋地決昭三〇・六・三〇労民集六・四・三八九（労働関係民事裁判例集）

その他に、例えば次のような略語を用いた。

裁判所時報＝裁　時　　家庭裁判所月報＝家裁月報
判例時報＝判　時　　判例タイムズ＝判　タ

目　次

職場内の組合活動　青木宗也

一　就業時間中の組合活動……三

一　原則（三）　二　就業時間中の組合活動が許される範囲（四）　三　休憩時間中の組合活動（一二）

二　施設管理権と組合活動……一三

一　施設管理権と組合活動との関係（一三）　二　組合事務所の利用関係（一六）　三　集会場所（二〇）　四　職場デモその他と施設管理権（二八）　五　施設を利用した組合活動と建造物侵入罪（三〇）

三　文書活動……三一

一　就業時間と文書活動（三一）　二　施設管理権と文書活動（三二）　三　ビラの貼付と器物損壊罪（三六）　四　懸垂幕と施設管理権（三八）　五　文書の内容（三九）

合併・営業譲渡・解散と労使関係　慶谷淑夫

一　企業の合併と労使関係……四九

一　合併の効果（四九）　二　合併と労働契約関係（四九）　三　合併と労働協約・就業

規則関係（五一）　四　合併と不当労働行為（五一）
二　営業譲渡と労使関係……………………………………五三
一　営業譲渡の効果（五三）　二　営業譲渡と労働契約関係（五三）　三　営業譲渡と労働協約・就業規則関係（六三）　四　営業譲渡と不当労働行為（六三）
三　会社の解散と労使関係……………………………………六八
一　解散の自由（六八）　二　解散決議と不当労働行為（六八）　三　解散決議と労働委員会の救済命令（八〇）　四　会社の解散と労使関係の承継（八八）

企業閉鎖と偽装解散　高島良一

一　企業閉鎖などと不当労働行為の成否……………………九七
一　企業閉鎖の自由（九七）　二　不当労働行為の意図をもつてする解散の効力（九八）　三　問題の所在（一〇四）
二　偽装解散と不当労働行為……………………………一〇八
一　解散と不当労働行為の成立（一〇八）　二　不当労働行為の成立が認められたケース（一一〇）　三　不当労働行為の成立が認められなかつたケース（一三三）　四　総合的考察（一三六）
三　解散もしくは閉鎖を理由とする解雇と救済命令……………一三八
一　緒言（一三八）　二　解散だけが行なわれた場合（一三八）　三　新企業が存する場合（一三九）
判例索引

職場内の組合活動

青木宗也

はしがき

一、労働組合はその団結および団結活動を通して労働者の経済的地位の維持、向上を図ることを目的とする。こうした労働組合の目的を達成するために組合の機関および組合員が組合のために行なう行為が組合活動である。団体交渉（本叢書九巻参照）や争議行為（同書二、七巻参照）はその主なものであるが、それ以外に日常的に行なわれる一般の組合活動がそれである。

ところで、日本の労働組合は企業別または雇用別組織を中心として形成されていることから、その活動、特に日常的に行なわれる一般の組合活動は主として職場内で展開されることとなる。職場内で展開される一般の組合活動としては、機関紙、ビラの配布、貼布、労働講座、サークル活動といった教宣活動、組合大会、職場集会、経営者、職制との交渉、抗議、話しあい、オルグ活動等多面的、多様にあらわれる。

ところで、このような活動は、まず一方でその活動を効果的にしかも容易に行ないうるために就業時間中にそれを行なうことを求める。そこで、こうした就業時間中の組合活動が使用者の受領した労働力の処分権＝業務命令権との関係でどこまで容認されるかが問題となる。

つぎに、職場内で組合活動が展開される限り、多かれ少なかれ使用者の施設の一部を利用するという形で行なわれることとなる。そこで、使用者の持つ施設管理権との関係で、どこまで組合活動のためにその利用が認められるかが問題となる。

また、組合活動は文書活動が相当重要な活動として展開されるが、その時期、方法、その内容の当否が問題となる。

二、職場内での組合活動の問題は、結局、経営秩序との関係で、どこまでその活動が正当なものとして容認されるかという点であろう。この点を判断するにあたつて問題となる主要な問題点は、以上の諸点にあると考えられる。本稿ではそれらの諸点を重点的に検討することとする。

一　就業時間中の組合活動

一　原　則

近代的労使関係は労働力売買の関係であり、労働者は労働契約（労基法、労働協約、就業規則等によって規律された）の内容に従って、一定の種類の労働力を一定時間、使用者のもとに提供することを義務づけられ、使用者はその提供された労働力を指揮命令によって、具体的労働に転化しうる権限をもつ。

したがって、労働者は所定労働時間中使用者の指揮命令に従って就労することを義務づけられるわけであって、就業時間中は労働協約または就業規則の規定によって容認されている場合または使用者の許可がある場合を除いて原則として組合活動を行なうことは禁止される。すなわち、組合活動は就業時間外にという原則が妥当するわけである。

【1】「一般に組合活動と経営秩序との関係特に作業時間中の組合活動の限界ということについていえば、抽象的には所定労働時間は使用者の経営指揮に服し有機的全体としての経営秩序を組成するから、正当の理由なく、その秩序を紊すごときことは、許されず、従って、『組合活動は労働時間外に』という原則が妥当するといえるだろう」（東京地決昭二五・六・三〇労民集一・四・五七一、同旨、東京都労委命令昭三七・二・一五旬報別冊四五一号等）。

【2】「一般の場合作業時間中に組合業務専従者以外の組合役員乃至組合員が組合業務のため職場を無断で離れることは労働協約にその旨を認める特殊条項がない限り原則として正当な組合活動とは解し難い」（東京地決昭二四・一一・一労民集六号）。

なお、労働協約、就業規則において就業時間中の組合活動を自由に認めている場合には、どの程度就業時間中にどのような組合活動を行なうかは全く労働組合の自由に判断し決定する問題であるが、ただ、それを乱用にわたる形で行使し得ないことは勿論である。この点について、池貝鉄工所事件は次の如くその一般的判断の基準を示している。

【3】「昭和二十四年八月二十日現行労働協約が締結されるまでは昭和二十一年十一月十一日締結の旧協約が効力をもつていた。而して旧協約第六条には『会社ハ就業時間中デモ組合ノ教育活動及ビ集会ヲ行フコトヲ認メ特ニ其ノ役員ハ組合ノ仕事ニ専念スルコトヲ認メ組合員ガ組合活動ノタメ作業ヲ休止シテモ有給トスル』との規定が存し、就業時間中の組合活動は現行協約に比し極めて広く認められていた。また昭和二十三年三月三十日制定の従業員就業規則においてもその第二十六条に『労働時間中に組合運動、集会等会社の業務に関係のない事由で就業しないときは、予め所属長へ届出をすることが必要である』と規定されているにすぎない。しかしながら組合活動であれば事のいかんを問わず無限に職場離脱が許されるものと解することはできない。そこには自ら一定の限界があり、例えば専従者のある場合には他の組合役員の行動範囲は自ずと減縮され、普通組合員に至つてはその行動範囲は更に狭められるものといわねばならず、また事の大小・軽重・緩急のいかんによつても、自らその行動範囲に広狭の差をみとめざるを得ない」(東京地決昭二五・一・五労民集一・五・七〇四)。

二　就業時間中の組合活動が許される範囲

就業時間中の組合活動は、以上の如く一応原則的には、労働協約、就業規則の規定で容認するか、使用者が許可を与えない限り認められないと考えられるのであるが、日本の組合組織の形態が企業別または雇用別に形成されていることから、その活動は職場を中心として展開せざるを得ないのが実情であり、さらに就業時間中にその活動がある程度認められないと団結の機能を十分に発揮出来ないといつた事情もあつて、就業時間中に組合活動を行なうことを団結の必然的要請として求めてくるのである。

このような実態のうえにたつて団結権保障の精神を生かして考えると、就業時間中の組合活動も労働協約、就業規則の規定によつて認めている場合または使用者が許可した場合以外には厳格に一切禁止されるものと考えるべきではない。ある程度の活動は組合の正当な活動として容認されるべきであるか、少なくとも懲戒処分の対象となるべきものではないと考えられる。

判例の多くもこの立場を認めている。

(一)　就業時間中の組合活動であつても、その活動が組合運営にとつて最小不可欠であり、他方、その活動によつて会社の業務にそれほどの支障をきたさなかつた場合には、ただちに労働契約違反の責任追及が許される不当な組合活動であるとはいいきれないと考えられる。

【4】「三月十四日Yが勤務時間中に組合文書を作成していたことは上記の認定のとおりであるが、これに要した時間は僅かに数分間にすぎず、勤務時間中この程度の時間を私事にさくことは往々にみられるところであり、特にこれが会社の業務を甚だしく阻害したとも認められない。」から「これをただちに懲戒解雇の理由とするのは酷にすぎる」(広島地労委命令昭三七・六・一三旬報四六五号)。

(二)　労使間の慣行、明示もしくは黙示の特約によつて会社が許可を与えまたは与えたと認められる事情がある場合には、就業時間中の組合活動について使用者がそれに合意を与えたことになるからその行為は正当な組合活動と考えられる。

昭和電気事件は、右の原則を承認しているが、本件の場合にはそのような事情がないと判旨している。

【5】「『組合活動は就業時間外に行なわれるべきことは当然である』しかし、このような就業時間中の組合活動であつても、その労使間の慣行、明示もしくは黙示の特約によつて会社が許可を与え、または与えたと認められる事情、その他右の原則の適用を阻却すると認められるような特段の事情があれば結論は、おのずから違つてくる。とし、本件について具体的に判断し、組合側の欠勤の通知書を提出すれば欠勤は正当化するという慣行があると主張するが、そのような慣行もなく、明示の特約もないとし、就業規則の欠勤は会社の「承認」を要するとする規定が効力を有し、組合役員が会社の承認を得ずに長期欠勤を通告しただけで就労しなかつたのは、正当でない」（東京都労委命令昭三七・二一・一五旬報別冊四五二号）。

以上の就業時間中に組合活動を正当化する慣行または黙示の特約があると認められたと考えられる判例の主なものをひろつてみると以下の如くである。

【6】「駐留軍追浜兵器工場において、工場指揮官が書面をもつて「請負業者の従業員は米軍施設内において労働組合若しくはその他の従業員団体に加入のための勧誘又は会費その他費用の徴収を休憩時間中に限り行うことが許される旨を明示」していた。ところが、同工場内で富士自動車従業員組合の組合員が作業終了後退社時間までの待機時間中に組合加入の勧誘及び加入申込用紙の配布を行つた。この点について判旨は従来から「労務者は午後五時まで作業を命ぜられることなく、その前に作業終了を告げられ更衣室に引き揚げて退場時刻（午後五時）を待ちその間雑談娯楽に費されて軍の監督の外に置かれていたことが認められるので右のように作業終了を告げられて更衣室に引き揚げ退社時刻を待つている間は作業終了後というのが相当で

ある。」したがつて、その待機時間中になされた「本件組合活動は作業終了後のもので軍の許可を要しないものと判断せざるを得ず従つて正当の組合活動というに何等妨げない」（東京地判昭三一・一〇・一〇労民集七・五）。

【7】「事実上組合専従者と同様に組合事務を担当していた組合員が、勤労課長と席を並べてその監督のもとに会社事務をとりながら、同時に組合事務も行つて居り、会社はそれを容認して一回も執務時間中に組合事務をとることを阻止しなかつたばかりでなく、かえつてその組合員を組合との連絡に使つていたという事情にある場合に、その活動を正当なものとして認めている」（中労委昭二七・一一・一二労委命令集七）。

【8】 事案は、組合支部が作業所側の了承をえたうえで、午後〇時三〇分から一時三〇分までの昼休み時間を利用して支部臨時組合大会を開いたのであるが、議事が終了しないので、勤労係長に電話で約一〇分間の大会時間の延長を申立了承を得たが、一時四十五分頃になつてもなお大会は終了するにいたらなかつたので再延長を申請した。勤労係長は一応難渋の態度を示したけれども、明確に拒否せず、早く終つてくれというあいまいな返答をしたにとどまつた。そして大会は午後二時過になつて終了した。

以上の事案に対して、以下の如く判旨する。

「右大会の時間延長が無断でなされたものであるか否かについて考えるに、前記疎明資料によれば、従来においても昼休時間中は行なわれる支部の組合大会が延長されることは少くなく、この場合支部は殆んど勤労係長に申出て大会時間の延長につき作業所側の了解を得ており、そして同係長が支部から大会時間の延長について了承を求められた際通常これに対し必ずしも明確に承諾の意思を表示しないでなるべく早くやめてもらいたいという程度の応答を以て、いわば黙示の承認を与えていたのが例であつたことが一応認められ、従前作業所が大会時間延長承認の申出を拒否し、あるいは大会延長申入諾否に関し支部と作業所との間に問題を醸した等の事実があつたことの疎明なく、本事件の場合はさきに認定したように最初K（組合側代表者）のなした延長の申入についてはM係長が一応これを了承しており、A（組合側代表者）が再度なした申入については、右のような従来の同係長の承諾の仕方、並びに前記のような当日の同係長の応答の模様及びK_1課長の右係長やAに対する態度を考え合わせると、作業所も当日の大会が中央労働委員会の斡旋を受けるかどうかについて支部側の態度を決する重要な大会であり、又当時既に争議状態にあつてストライキ突入直前の重大な段階におけるものであることも考慮に入れ、その時間の延長を黙示的に承認していたものと認めるのを相当とする。従つて、本件の大会時間延長については作業所の了解があつたものといえるから、この間の業務停止について被控訴人等に責任を問うことはできない」(広島高判昭三四・五・三〇旬報別冊三四九号)。

以上、代表的な三つの判例を示したのであるが、各〻就業時間中の組合活動について慣行、明示または黙示の承認があつたと考えられるものに対しては、正当な組合活動としての評価を与えている。正しい判例の態度であると考えられる。なお、同様な判例としては、東京地判昭二六・二・一労民集二・一、群馬地労委昭二六・三・三〇労委命令集四、神戸地判昭二三・一二・二四等が主なものである。

(三)「組合活動は就業時間外に」という原則の適用を阻却しうるような事情がある場合には、就業時間中の組合活動は正当なものと考えられる。

その最も主要なものは、賃金の支払が遅欠配している場合である。

富士産業荻窪工場事件で東京地裁はこの点について、「組合活動は労働時間外に」という原則は『労働者は、所定労働時間に相当する労働力を契約によつて売渡したものであるから、その労働力の処分権は使用者に属する』という理論を基礎とするものであるから、この原則が実質的に妥当するためには、『使用者に売渡された労働力に対し、少くとも約束された対価(賃金)が支払われる』という前提条件が充されなければならない」とし、賃金遅配下における職場大会、デモを正当な組合活動と認めている。けだし、正当な判断と言わざるを得ない(前掲判例【1】)。

近代的労使関係において、労働力の提供と賃金の支払は対価関係にたつものと考えられる。すなわち、労働力提供義務は賃金の支払を前提とする。したがつて、使用者が賃金の支払を怠るといつた事情が生じた場合、労働力提供義務と対応して使用者に認められる指揮命令権は完全には機能し得ないものといつて良いであろう。それ故に、賃金遅欠配の状況下で、その支払を求めて労働者が就業時間中に組合活動――職場大会、デモ等を行なつたとしても、それを懲戒処分の対象とする如きは公平の原則からいつて赦されない。

多くの判例が賃金遅欠配下の就業時間中の組合活動を正当なものとして判旨している。

【9】 富士産業荻窪事件は前記の如き基本的な考え方を展開し、賃金支払を求めて行なわれた就業時間中の職場大会デモについて次の如く判旨する。

「これらの組合活動が行われた時の事情を考察するに、被申請人会社においては、昭和二十三年十一月から、賃金の遅払が始まり、昭和二十四年度に入つてからは、毎月数回に亘り支払われたが、月々未払を生じ、従業員は、日々の生計に不安を感ずるに至つたので、(多数の者は、内職によつて生計を補つていた)賃金の確実の支払を求めるためには大衆行動に訴える以外に適宜の途がなかつたこと及びかかる状態下における会社側からの賃下げの要求に対し反対運動を行う必要があつたことが認められ、且つこれらは、『組合』の決定した職場闘争の一環として、職場労働者が総意に基いて行われたものであることに徴すれば、これらの行為を違法な行為となすことはできないであろう」(東京地決昭二五・六・三〇労民集一・四・五七三、なお、同異議事件に関し、同旨、東京地判昭二六・一一・一労民集二・五・五三七)。

【10】「賃金の遅払が続き、不安と動揺をきたしていたが、会社が適当な処置をとらなかったというような事情の下で従業員が自ら賃金支払の確保を求めんとするのは無理からぬところで、そのため職場大会を開き工場幹部との交渉を決議し、その行動を起すこともやむを得ないといわなければならない。会社が自ら賃金の支払を遅滞しながら、そのことに基因する従業員の右のような行動をとらえ、職場規律違反として解雇の事由とすることは公平の観念に反する。もとより会社においても、この賃金遅払を解消するために、種々苦心したであろうことは推察し得るが、従業員に対して、ただ会社を信じてだまつて働けというのは、むしろ難きを強いるものというべきである」（東京高判昭二八・四・一三、同旨、最判昭三〇・一〇・四）。

【11】「原告A・Cが昭和二十四年七月二十一日および八月三日、勤務時間中被告会社の許可なく職場大会を開き、他の従業員をもその作業から離れさせたことがあり、また原告Aは汽罐場の勤務であるが、夜間勤務中寝込んでボイラーの火を消してしまつたことがあり、その他原告等の勤務振りには、被告会社として数えればあれこれ不満な点があつたことはみとめられるが、昭和二十四年七月から八月頃は前記のように被告会社は従業員に対する賃金の支払をおくらせており、これについては組合は会社と種々交渉をしていた際であり、賃金不払のごとき労働者の生活に直接の脅威が加わつた事態の中にあつて職場が相当に混乱することは無理からぬところで、右職場大会のごときもその一つのあらわれにすぎないとみられるし、組合幹部たる原告等がその混乱に一役買つたとしても普通ならば、被告会社としても自分の方に責任のあることで大目にみればならないところであろう」（大阪地判昭二六・五・二六労民集二・四、なお、同旨、中労委昭二七・一二・一七旬報別冊一一七号、東京地決昭二五・六・一五労民集一・五等）。

つぎに、闘争体制下における労働時間中の組合活動は一定の範囲で容認されるものと考えられる。すなわち、ストライキ等の実力行使を行なう場合、なんの準備もなくストライキが決行出来るものではない。スト体制確立のための準備が必要である。したがつて、憲法二八条の「その他の団体行動する権利」のなかにこうした準備的行動としての組合活動も当然含まれるものと考えざるを得ない。しかも、すでに述べてきたように、日本の労働組合が企業別に出来上り、企業内の組合活動が必須のものであると考えられる実情と考えあわせると、それが就業時間中に行なわれたとしても、一定の範囲において使用者は容認しなければならない正当な行為であると考えられる。それ故に、争議行為が発生するおそれのある場合において、執行委員、職場委員等が団交の下準備とか闘争体制確立のために必要な限度で組合事務所に連絡したり、ストの意義を説得するために他の職場に出向いたりする等の行為を就業時間中に行なつたとしても、なお組合の正当な行為といわざるを得ないであろう。

判例も明確にその考え方を示してはいないが、結論的には闘争態勢下においては、平常の場合に比して更に広い範囲で就業時間中の組合活動を容認すべきであるとする考え方を示している。

「労働界の現況」から闘争体制下における就業時間中の組合活動を容認しようとする立場にたつものとして、

【12】「一般の場合作業時間中に組合業務専従者以外の組合役員が組合業務のため職場を無断で離れることは、労働協約にその旨を認める特約条項がない限り、原則として正当な組合活動とは解し難い。今本件の場合に付て考えてみるに会社と日本製靴労働組合との間に於ては……昭和二十三年八月より一ケ年間約五ケ月を除いては、常に組合は会社と鋭く対立し闘争体制を採り、昭和二十四年六月十一日には遂に二十四時間ストライキが決行された次第であるが、これらの争議を通じてX等は組合役員としてその中心人物となり、而も会社に対する要求事項に付ては強硬派に属し、執行委員会代議員等で活動し、このため前記の如く作業時間中屢々職場を離れ、作業を抛棄する結果となつたものである。

而して、右の如く、争議行為の発生し、又は発生する虞れのある争議状態にある場合に於ては、労働協約中に特約がなくても、組合役員が団体交渉の下準備又は闘争体制確立等のために必要な限度において、職場を離れることも我国の労働界の現状に於ては強がち違法視すべきではないであろう」(東京地決昭二四・一一・一労民集六号)。

また、他の事情を考慮し、組合役員の就業時間中の組合活動を容認するもの。

【13】「本件争議の直前に行われたいわゆる六月争議中、同月七日組合は新聞社の特殊事情にかんがみ勤務時間中の会合につき控訴人の諒解を得ているのみならず、会合によつて費消した時間中の勤務は残業によつて補ない、極力業務に支障を来たさないよう努めてきたことが疎明されるのであつて、この事実と、執行委員会、闘争委員会等の役員は組合内において枢要な地位にあり争議中は組合専従者と同様の取扱を受けなければ正当な組合活動は十分に行ない得ない事情を彼此考え合わすと本件の職場離脱は未だ必ずしも違法視すべき場合ではない」(高松高判昭三一・六・一一労民集八・三)。

なお、以上の外に愛知地労委命令昭三二・七・一八旬報別冊二八六号等もある。

三　休憩時間中の組合活動

休憩時間は本来労働者の労働力が売り渡されていない時間であり、したがつて使用者の指揮命令は及ばない時間である。それ故に、その時間を労働者が自由に利用しうることは勿論である。労基法三四条三項はそのことを明らかにし、「休憩時間を自由に利用させなければならない」と規定する。休憩時間が右のように考えられることから、当然に、組合活動も全く自由に行ないうるものと考えるべきである。

ただ、右の休憩時間を利用する組合活動は一般に職場内で使用者の施設を利用して行なわれることから、施設管理の立場から、ある程度の規制はやむを得ないものと考えられる（この点からの規制については次の項で検討する）。しかし、それ以外の点からその自由利用を制約することは認められないのであり、休憩時間中の組合活動について許可制をとるといつたことも許されないものと考える。

右の如く、施設の利用の面からするのであればともかく、組合活動それ自体に対して、何ら制約を加え得ないという点については、学説上の異論のない所である。判例もそれを承認する。

【14】「労働者が休憩時間を自由に利用でき使用者がこれに制限を加えないことは労働基準法第三四条三項に明定されるところであるから、休憩時間中の組合活動（他組合の争議応援も含む）も自由になしうるところであり、会社がこれを一般的ないし個別的に禁止したり或は届出を要求することは有効にこれをなしえないものといわねばならない。したがつて仮に会社が休憩時間中の組合活動はこれを行わないことを以て経営方針としているとしても、そのような経営方針はこれを正当に主張しうるものでないから、右経営方針に背反した労働者の行為を不当視しえないことは多言を要しない。それゆえ申請人が会社に無届で前記蹶起大会に参加したことには何ら不当のかどはない」（大阪地判昭三七・四・一九労民集一三・二）。

二　施設管理権と組合活動

13

一　施設管理権と組合活動との関係

日本の労働組合は、すでに述べてきたように、企業別または雇用別に組織を形成しているのが一般である。そのために、その活動は中心的には職場を中心とした企業内で展開されることになる。そのために、組合活動の展開にあたつて会社の施設を利用して行なうことが一般化する。

ところで、その会社の施設は使用者の所有に属し、その管理権は使用者側にある。この管理権を一般に「施設管理権」と称しているが、それは必ずしも明確な内容を持った法的概念ではなく、使用者が施設に対して持つ所有権の一機能として認められる管理権限をさすものであると考えられている。したがつて、原則的にいえば、その管理をどのようにするかは所有権者である使用者の自由にまかされる問題であると考えられる。

ところが、すでに述べてきたように、企業別または雇用別の組織形態を持つ日本の労働組合においては企業内の組合活動がいわば必須の条件であり、そのために企業の施設を利用することが、日本の労働組合を維持し運営していくうえでの必要な条件であると考えられる。例えば、労働協約で施設利用に関する規定を置いているものが非常に多いこともこのことを物語る。

申すまでもなく、団結権は日常的な組合活動によつて支えられる。したがつて、日本における日常的な組合活動が右の如く、企業内の一定の施設を利用して初めて十分に展開しうるものであるならば、その利用が一定の範囲で容認されて初めて、団結権の保障が果されるためである。すなわち、日本国憲法二八条の団結権の保障を具体化するためには、以上の実態のうえにたつて考えると、一定の範囲で施設利用が容認されなければならないものと考えられる。このような考え方から、使用者は一定の範囲で、団結権行使としての組合活動による企業施設の利用を容認することを義務づけられるものと考える。

ところでその施設利用がどの範囲まで容認されるかが問題である。

この点を抽象的に言えば次の判例の如くであろう。

【15】「会社の構内管理権は決して無制限なものではなく、組合の団結権に基づく組合活動との関係で調和的に制限せらるべきであるから、会社は組合活動の便宜をも考慮して、ある程度の譲歩を行うべきであり、組合としてもでき得る限り会社の右管理権を尊重しなければならないことはいうまでもないところである」（福岡高判昭三四・一一・一一労民集一〇・六）。

使用者の所有権にもとづく管理権能も以上の如く、それは全く自由に行使しうるものではなく組合の団結権の具体的行使との関係で、調和的に制限さるべきである。このことをいますこし具体的に言えば、組合が団結を維持し運営していくうえに必要な範囲で組合の施設利用を容認することを義務づけられ、使用者は施設管理上合理的に必要な限度をこえて、組合の利用を制約することができない。もしその限度を越えて制約したとすると、施設管理権の乱用または団結権の侵害＝不当労働行為としての法的評価をうけることとなる（同旨、片岡・労使関係のルール一二一頁、なお、籾井助教授は以上の点を、次の如く主張する。すなわち、組合の施設利用のうち組合の維持運営にとって必要不可欠な性質をもつ施設利用とそうでない場合とにわけ、前者の場合にはその利用の拒否はただちに団結権否認と考えられ、後者の場合には、「使用者の施設を利用する必要が本当にあるにかかわらず、たまたま結果的に組合活動に対する制約となるからといつて、自分の物を全く使えないほどの受認を使用者に期待することは出来ないであろう。」として、ほぼ同様の主旨の主張をされている。籾井「施設管理権と組合活動」旬報三九六号）。

基本的には以上のように考えられ、学説の多数もほぼそれを承認する。また判例の多くもこの考え方を承認しているものと考えられる。

しかし、この基本的な考え方を具体的に組合の施設の利用についてどのように適用すべきかという点になると多くの問題がある。以下で検討しよう。

二　組合事務所の利用関係

（一）　組合事務所は組合活動の本拠である。そして、企業別といった組織形態を一般にとるわが国の組合においては、企業内の組合活動を中心として運動が進められることから、その組合事務所を企業内に置くことはまた必須の条件である。組合事務所が企業内に設置されないとすると、組合の団結活動は大幅に侵害される。それは団結権保障の立前にもとることになる。したがって、使用者は、その施設の赦す限りにおいて企業内に組合事務所を設置することを容認することを義務づけられるものと考えられる。すなわち、施設内に使用者がどうしても使用しなければならない必要性のない建物、部屋等がある場合にはその貸与を容認しなければならないであろうし、そのようなものがない場合にも客観的にその余地がある限りは、一定の範囲で組合事務所設置のための敷地を貸与することを義務づけられるもの と考える。

しかし、近江絹糸富士宮工場事件では、以上の考え方を否定すると考えられる判決がなされている。

【16】　組合側が「被申請人は工場、寄宿舎、事務所の在る所、並びに比較的使用度の閑散な部分を労働組合の協議執務等一切の組合活動を行う目的を以て労働法所定の主たる事務所として使用すること又は右構内に別に仮設事務所を設置すること、及び同事務所内に電灯・電話その他備品の設置を為すことをいずれも許容し使用を妨害してはならない」旨の仮処分を申請したのに対し、裁判所は「会社の施設管理権を侵害しない限り組合事務所を設ける事は自由であり、会社は組合活動を殊更に制限する目的を以て、その施設の利用を妨げる方法を講じてはならないけれども、しかし、申請人主張のように特に会社に対し組合事務所の設置を求める権利はないものと云わなければならない」（静岡地判昭二九・七・一〇旬報別冊一七六号）。

つぎに、組合が貸与をうけた組合事務所は、使用者側にそれなりの正当理由がない限りはその返還、変更等は行ない得ないものと考えられる。もし、正当理由なしに行なわれた場合には、不当労働行為が成立する。

(二)　つぎに、組合事務所の使用は組合がその占有権を取得しており、その占有権にもとづいて自主的に決定した方法で行なわれるべきであり、それが組合活動のため社会通念上認められる範囲内のものであるならば、それに対して使用者はなんら干渉することができない筈である。もしそれを侵して干渉した場合には不当労働行為が成立するものと考える。

もっとも問題となるのは、従業員以外の組合員または第三者の組合事務所への立入りをめぐる問題である。このような者の組合事務所への立入りを使用者が禁止しようとした事件についての重要な判例を以下に示す。判例はいずれもその禁止を不当なものとしている。

組合事務所が企業施設内にあることを利用して、解雇された組合員に対して、企業施設内への立入りを禁止し、事実上それらの者の組合事務所への立入りを禁止しようとした事案に対し、裁判所は次の如く判旨する。

【17】「会社は右三名は組合員たる資格を喪失したから、組合事務所を利用することができないと主張する。しかし、会社がその従業員だけで組織する労働組合に組合事務所を貸与した場合であつても、右契約に特別の留保条項が存するためなどにより非組合員の組合事務所の利用不能など組合の事務所に対する利用が事実上制約された状態で継続したという特段の事情の存する場合を除いて、その労働組合はその目的達成のために行う組合活動のため社会観念上通常必要と認められる場合においては、外部団体員その他の第三者に

対しても組合事務所を利用させることもできる占有権を取得しているものと認めるのが相当である。そして、申請人がその大会における決議により執行委員等の地位に選出することにより、又は組合員と確認することにより、自己の組合活動上の事務の処理を委託し、或いは自己の組合活動のなかに事実上包摂している右M外二名に対し、同人らの解雇後も右事務処理等のため組合事務所を利用させてきた疎明があり、かつ、かかる地位にある右三名に組合活動上組合事務所を利用させていることが組合の組合事務所の使用として社会通念上異常な事例とは認められないから、申請人は別別目録の組合事務所に対し、右M外二名についても右事務所を組合活動のため利用させることができる占有権を有しているものと認めるのが一応相当である。

従つて、会社が右三名に対し組合用務のため組合事務所を使用することができないようにすることは、申請人の右事務所に対する占有権の円満な行使をさまたげることに該当する」（東京地決昭三四・二・三労民集一〇・一）。

以上の判断はほぼ妥当なものと考えられるが、ただ「契約に特別の留保条項」がある場合のように特殊の事情があれば別であるがとしているが、そのような留保条項がある場合でも、最初に考えた基本的考え方を否定するような内容のものは認められない。それは不当労働行為を容認する条項として無効であると考えられる。結局、基本的考え方を否定しない範囲で施設管理上最小限度の必要性にもとづいた制約だけが留保条項として効力を持つものと考えられる。

以上の判例は解雇組合員の組合事務所立入りに関するものであるが、そこでの考え方は、組合員以外の第三者、例えば、上部団体の役員、書記、友誼団体の組合員、労働学校の講師等についても、同様に適用さるべきである。すなわち、それらの人々が組合活動の指導、助言、支援、連絡、学習、コーラス等の指導等に組合事務所へ立入ることは自由であり、たまたまその事務所が企業内にあつたとしても、使用者は組合事務所への立入りのため構内に立入ることを容認しなければならない。それに干渉することは赦されない。特に、これらの者に対して会社が出入りを禁ずることによって組合事務所への出入りを事実上禁止することは組合の運営に対する干渉妨害であり、不当労働行為である（大阪地労委命昭三七・一二・二六）。

（三）　以上考えてきたように、組合事務所は組合が占有権を取得し、一定期間継続して、独占排他的に、組合の自主的判断にもとづいて使用するものであることから、それが使用者側の施設であっても、使用者側といえども無断でそこに入室したり、それを使用することができないことはいうまでもないことである。判例もこのことを認め、管理者の無断入室に対して住居侵入罪を構成するものとしている。

【18】「建築部長が庁舎管理権に基づいて、地本事務室内の者に対しても退去を命ずることのできる場合があることは前述したとおりであるが、そのことからただちにその場合には他人の占有使用している部屋にその者の意思に反してでも強制的に入室することができるということにはならない。本件地本事務室は前述のとおり、地本が使用権限に基づき長期間継続して独占排他的に使用し、組合事務を行っているものであり、それはやはり特定の者の私的な生活関係であってその住居の平穏は他人が濫りに侵害することの許されないものであり、本来の公物管理権者といえども他人の私的生活の自由を侵害する権利を当然に有するものではなく、このことは、私法上の賃貸借もしくは使用貸借の場合貸主といえども借主の意思に反してその家屋に立入ることが許されないのと異るところはない。

本件の場合入口ドア脇に掲げられた前記貼札（『無断官憲の入室を禁ず、全逓東北地方本部』＝引用者注）

によつて、地本組合員が郵政局管理者側職員の入室を拒絶する意思は明らかに表明されており、これを認識しながら敢て無断入室する行為は住居侵入罪の構成要件に該当する違法な行為と云わなければならない。検察官は、この点につき、社会通念に照し、面会のための入室の承諾を予想したうえでの行為として是認されるべきものであると主張するが、このような労働組合の闘争実施中で労使双方とも緊迫した対立状態にあり、しかも右のような官憲の無断入室を禁ずる旨の掲示があるときに入室の承諾を予想すること自体社会通念に反するものと云わざるを得ないから、このような考え方は首肯できない。従つて、H建築部長が組合事務室の中に入つた行為は不法な侵入とし、急迫不正の侵害というべきであるから、それがたとえ公務の執行としてなされたものであつても、本件のような状況下においてのこれに対する反撃は正当防衛として是認さるべきものである」(仙台地判昭三七・九・一旬報別冊四七二号)。

三　集会場所

(一)　集会のための施設利用が容認される範囲

組合が組合大会、中央執行委員会、青婦人部の大会、職場集会等を開いたり、さらに労働講座や学習会等々の集会を持つことは、組合を維持し、運営していくうえで必須の条件である。ところで、このような会合を開く場合組合自身が労働会館のような場所を持つていれば別であるが、ほとんどの組合がそのような施設を持つていない。また、そのような施設を持つていたとしても、その施設を利用しただけでことたりるものでもない。

組合運動は個々の組合員がしつかりと組合員意識を身につけ、その意識のうえにたつて積極的に行動することによつて初めて十分な力を発揮するものである。そこで、運動は個々の組合員が適確に把握でき、指導できる単位＝職場を中心とした組織、すなわち、職場組織、分会、支部といつた組織を基礎にしながら展開されることになる。集会もこのような組織を中心として、しばしば開かれることになるのである。ところで、このような組織によつて集会を開く場合、たまたま労働会館があつても、そこまで出かけて開くことはなかなかむずかしい。やはり職場のなかで、職場の施設を利用しながら開くのがもつとも容易であり、容易であるばかりでなく、そのような形で開かなければ事実上集会が成立しないようなことにもなりかねない。そのために、休憩時間中や退社時間と接着した時間に会社の集会場とか職場とか時には空地などを利用してそれが開かれることになるのである。

また、上部機関の開く、組合大会や執行委員会、青婦人部の大会等でも、大組合は別として、事実上企業内の施設を利用して開くことが好都合であるばかりでなく、そうしなければ事実上その会合が成功しないといつたことにもなりかねない。わが国の組合組織が企業別組織という形態をとることから、右のように会社の一定の施設を利用して組合の集会を開くことが円滑な組合運営の必須な条件として要請されるのである。

右の如く、会社施設を利用して組合集会を開くことが組合運営の必須の条件であるとするならば、団結権の保障の立前から使用者は、すくなくとも使用者にその施設の利用を拒否する合理的理由のない限り、組合側の利用についてその利用を容認する義務があるものと考えられる。この範囲で使用者がその利用を拒否すれば、不当労働行為が成立する(労組七3)。学説、判例の多数はこの立場にたつものと考えられる。

ところで、使用者が組合の施設利用を拒否する合理的理由があるかどうかの判断は具体的事例について諸般の事情を考慮して、総合的具体的に判断さるべきであるが、その判断にあたつて、使用者がその施設を組合と同じ時に利用しなければならない事情にあるかどうかという点と施設管理上いちじるしい支障をもたらすかどうかといつた点が基本的に考慮されるべき事柄である。原則として、以上の点がないと考えられる場合には、施設利用を容認すべきである。

こうした点について判旨した、代表的判例として理研コランダム事件がある。

【19】「前記塗装仕上班作業場が原告の事業施設としてその管理に属し、組合がこれを使用するにつき原告の承諾を要しないとする協約ないし慣行の存在を認め難いことはさきに認定、説示したところによつて明らかであるから、組合の王子支部組合員が同年二月五日原告の承諾なく右作業場を集会に使用したのは違法たるを免れない。しかしながらその経緯をみればこれを理由に不利益を課することは必ずしも妥当といい難い。すなわち組合が右作業場を使用するに至つたのはさきほど認定したところによれば原告が組合の残業拒否の通告に対し、その中止を要請するとともに前記友愛館二階講堂の使用を許可せず更には残業命令を発したため一旦開始した右講堂の使用に故障が出ることを虞れ集会の場所を右作業場に変更したものであるが、原告が右講堂の使用を許可しなかつた理由については施設管理上その必要があつたものと認むべき証拠はないのみならず、従前においては原告が組合の右講堂使用の申出に対し施設管理に差支がない限りこれを許可していたことはさきほど認定のとおりであり、同時に又組合が行なつた残業拒否が正当な組合活動であつたことはさきに説示したとおりであるところ、原告が組合に右講堂の貸与を拒絶した当時既に組合の争議権確立の事実を知つていたことが認められる以上、右講堂の貸与拒絶は特段の事情がない限りその管理上の必要に基くものではなく、専ら組合活動対策の意図に出たものと認めるのが相当である。一方さきに認定、説示したように右作業場が一部を福利厚生（卓球場）に併用されかつ厚生施設（更衣、休憩室）に至る通路にあ

るためいきおい会場に選ばれたものであつて、その内に組合の不当な意図が介在したこと及び、その結果右作業場の管理に著しい支障が生じたことを認め得る証拠がないのであるから、組合に対する対抗策のため原告が右講堂の使用を許可しなかつたことによつて組合の右作業場使用を誘起したことを等閑にし右作業場使用が形式的に違法であることだけを捉えて不利益取扱の理由となすのはにわかに首肯し得るものではないのである」（東京地判昭三五・一〇・三一労民集一一・五）。

以上考えてきたように、組合活動に必要な範囲での施設利用については、使用者側にそれを拒否する合理的な理由がない限り、それを容認することが義務づけられると考えられることから、使用者側にそれを拒否する合理的理由のない限り、使用者側がその利用を拒否した場合や、許可を得ることが全くできないような事情のもとにある場合にあつては、それを無許可で利用したとしても、少くとも、懲戒処分の対象となることはないと考えるべきであろう。

しかし、この点について、次の如き判例がある。

【20】　賃上げ闘争の解決当夜工場附近で巡査が殺害され、組合員が一二名も逮捕された。そのために組合は極度に混乱した。そこで、申請人等組合幹部は、善後処置を講ずるため外部との連絡に便利な工員食堂を四〇日間の長期にわたつて利用した。この間工場長より数回にわたつて禁止命令が発せられたというのが事案である。右事案に対して、

「工場長から数回に亘り組合の食堂使用を禁ずる旨の会社の命令が伝達されたにも拘らず、申請人等がこのように長期間に及んで右命令を無視して使用を続けたことは、会社経営秩序を維持するためになされた会社の命令に対する重大な違反であつて解雇に値する所為というべく、このような所為に出た事情が前記のように組合員に対し犯罪の嫌疑がかけられ、これが対策を講ずるためであつても、申請人等が就業規則違反の

行為に出るについて酌量すべき特別の情状となすことはできないし、その他特別の情状と認めるべき疎明はない。」とし、さらに「又申請人等は、仮に工員食堂の使用が禁止されていたとしても、当時I巡査殺害事件の余波を受けて、第一組合員十二名が次々逮捕されたので、申請人等は組合幹部として右対策のため、余儀なく徹宵工員食堂を使用したのであつて、右工員食堂使用は緊急避難であるから違法性が阻却される、と主張するけれども、申請人等が会社の命令に反して工員食堂に泊り込む以外に適当な措置をとり得る余地がなかつた、とは認められないから、申請人等の右主張も採用できない」(東京地決昭三〇・四・二八旬報別冊二〇一号)。

なお、当然のことであるが、施設利用を拒否できる合理的な理由は、その施設の用途、目的等によつて異る筈である。さきに、それは諸般の事情を考慮して、総合的具体的に判断すべきであると述べたことの一つの意味はここにある。したがつて、休憩室等のように労働者が自由に利用しうる場所であれば、他の会社の施設より自由に利用できる筈であり、さらに会社内の職場等を利用して集会を開く場合には全く自由に認められてしかるべきであろう。

(二)　集会のための施設利用の許可にあたつて一定の条件をつけることの可否　集会のために施設利用を許可する場合一定の条件をつけて許可するといつたことがしばしば行なわれる。その可否が問題となるのであるが、施設管理上必要な最小限度の条件をつけることは当然赦されるものと考えられるが、少くともその集会の持ち方、運営、議題等といつた組合が自主的に決定すべき事柄について条件をつけることは赦されないものと考える。

この点についてさきにあげた理研コランダム事件がほぼ正当な判断をしているものと考えられる。

【21】「原告が……右講堂で行われようとした組合の集会において外部団体の指導により争議戦術が討議

されることを快しとせず、これがため外来者の入場を禁止し同時に組合の集会に使用する時間を制限したものであることがみとめられるのであつてそれ以外に施設管理上特に使用条件を設定する必要があつたことを認むべき証拠はない。ところが原告が従前組合の右講堂使用につき入場者を制限したことがなく、又使用時間も一応は限定するものの組合の連絡によつて随時延長を許していたことはさきに認定のとおりである。しかして組合が争議戦術につき外部団体の指導を仰ぐことはもとより正当な組合活動であつて使用者の介入を許すべき筋合のものではないから、彼此考え併わせると原告が従前の事例に反し外部団体の集会参加を避けるためその所属員の入場を禁止し又組合の集会継続中右講堂の使用時間超過を咎めてその延長を許さない態度を示したのは特段の事情がない限り組合の活動に対する対抗策のためであつたものとみとめるのが至当である。

……中略……さすれば組合が右同日右講堂を使用するにあたりその使用条件に違反したことが形式上違法である故を以て不利益取扱をなすのは原告自らの組合対策を省みないものであつてたやすく首肯し得るところではない」（東京地決昭三四・一二・三労民集一〇・一一）。

なお、組合が自主的に決定する事柄であると考えられる事項について条件をつけた事案に対して、それを容認し、不当労働行為の成立を否定した次の如き事件がみられる。

【22】　組合が、組合大会の会場として食堂の貸与を申し入れたところ「ここに掲げた議題に限ること」「当工場組合員のみで行うこと」「連合会の役員が出るときにはその旨申出ること」という条件をつけて許可し、上部団体員の入場を拒否したもの。

（判旨）「会社が一般社会情勢とその当時の組合の動向にかんがみ、工場が政争の場となることを危み、秩序維持のため前記条件を附することを必要と認めたとすればそれを実行することは予防措置として止むを得ざるものというべく、しかして従来つねに会社が組合の外部団体または上部団体の所属者の入場を拒否したのではないという事実と合せ考えるとき、会社が予防措置を口実に組合の運営に支配介入せんとしたものではないと判断せざるを得ない」（神奈川地労委昭二五・一〇・一二不当労働行為命令集棄却編）。

（三）　寄宿舎の利用　　寄宿舎における寄宿労働者の生活は市民としての私生活である。したがつて、この生活に使用者の干渉することは赦されない。労基法九四条は私生活の自由を使用者が侵害することを禁止している。しかし、その寄宿舎は使用者の施設であり、他方共同生活の場でもある。そこで、一方ではその施設の管理のためと、他方では共同生活の秩序を維持することのために、一定の規律を必要とする筈である。ところが、この規律は寄宿労働者の私生活の自由と関連するところ大であり、事実そのことを名目にして、従来使用者の側から寄宿労働者の私生活の自由が多大に侵害されてきたのである。そこで、寄宿労働者の過半数以上の代表者の同意を得てその規律＝寄宿舎規則を作成させ、それを使用者にも、寄宿労働者にも遵守せしめようとしているのである（労基九五）。

しかし、右の如き手続をとれば寄宿舎規則でどのような事柄をきめても良いということでは勿論ない。右の規則の制定を定めた趣旨は寄宿労働者の過半数以上の意思を担保にして私生活の自由を守ろうとするわけであり、基本的には私生活の自由の保障が立前である。したがつて、その規則では、寄宿舎という施設の管理上必要最小限度の範囲と、共同生活の秩序維持のために必要な最小限度の範囲で私生活に干渉できるにすぎないわけで、それを逸脱した規定は私生活の自由を保障した労基法九四条に違反して無効であると考えられる。

ところで、そのような寄宿舎における組合活動は、私生活の場における活動であるから労働者の自由になしうるものと考えられる。そして、その組合活動を行なううえでの施設の利用も、また原則として自由に認められるものといわざるを得ないであろう。ただ、以上考えたように、施設管理の立場と共同生活の秩序維持の立場からする最小限度の制約＝例えば、建物の安全を否定するような形で行なわれる組合活動とか、他の寄宿労働者の睡眠などを乱すようなものに対しては、一定の規制を赦されるであろう。それをこえて組合活動を規制することは赦されない。

以上の点について八幡製鉄事件はほぼ妥当な判断を行なつている。

【23】「使用者の物的管理権は施設の維持に必要な限度にとどめ、その人的管理権も寄宿舎を設置した目的を達成するに必要やむをえない限度にとどめなければならない。」

「寮において講演会を開くことによつて使用者の物的、人的管理権に障害を及ぼすおそれもあるが、このような例は事実上むしろ少いと考えるべきである。本件講演会についていえば、寮生が自治機関の決定に基き人として労働者として教養のために開いたものであつて、聴講者は寮生に限られている。講演会の開催中聴講しない寮生が会場にあてられた面会室、娯楽室の利用を妨げられるか、寮生の自治機関の決定に基く講演会である以上やむをえない。結局本講演会によつて、寮の施設又は共同生活上の秩序の維持に障害を及ぼすおそれがあつたとは認められない。あらかじめ協議をすれば、寮務主任においてこれを拒否すべき正当の理由はなかつたと認めざるをえない。」

「しかるに会社側は部外者を招いて講演会を開くことをしつように拒否し、協議をうけてもこれを拒否する意向であつた。前記六人らの行為は面会に藉口して講演会を開いたり、実力を用いて寮内を喧噪ならしめるなど非難されるべき点はあるが、それも会社側が正当な理由もないのに何故かこの種の行事を拒否したことに起因する。従つて、会社自ら私生活の自由を侵害しながら、通勤可能の地域に居住の便宜の少い寄宿労働者を退寮処分に附したことは、処分権の濫用であり、無効である」(福岡高判昭三六・三・二二八労民集一二・二)。

なお、この事件に対する福岡地裁の判断は、寄宿舎における寄宿労働者の私生活の自由についてほとんど考慮をはらわず、寮の施設を利用する以上、寄宿舎規則の規定に従つて、寮務主任と協議しなければならない筈で、それをしないのであるから、寮施設の管理者としてはその講演会にまねかれた第三者(講師)が寮内に立入ることを禁じうるのはいうまでもないとし、退寮処分を有効なものとしている(福岡地判昭三〇・一〇・三〇労民集一一・一)。

四　職場デモその他と施設管理権

(一)　職場デモと施設管理権　企業別組合という組織形態を持つ限り、企業内で企業施設を利用して組合活動を行なうことが必須の条件であることから、そのような組合活動を一定の範囲で容認することを使用者は義務づけられるものと考えてきた。したがつて、組合活動の一環として行なわれるデモ行為もそれが企業の施設内で行なわれたとしても、正当な限界を越えない限り、使用者はそれを容認すべきであり、施設管理権にもとづいてその行為を禁止し、違反者を処分するといつたことはできない。

ところで、問題は一定のデモが正当な限界を逸脱したものであるかどうかの判断であるが、この点についてほぼ妥当な判断を展開しているのが、三井化学三池染料事件である。

【24】　就業規則で禁止されている「『個人で若しくは徒党を組み喧騒し』」との文言自体は、本来統制ある団

体行動として行われる組合活動の如きはその対象として予想するところではないと解されるので、組合活動としてのデモがその正当な限度に止まる限りにおいては、これを目して『徒党を組み喧騒し』ということにはできないし、また右の如きデモ行為がその正当な限界を越す場合は会社の施設管理権を侵害し工場の秩序を紊すものであることは云うまでもない。そこで本件デモが、組合活動としての正当な限度を逸脱したものであるかどうかについて検討するに右デモが昼の一般の休憩時間中に事務所関係の組合員が屋上に集合、経過報告を受けた後階段のみを通つて事務所広場のデモに参加するという形式で組合の指令に基き実施されたものので、外部より事務所に侵入し来つたデモではなく、また階段を上下して相当時間に亘つてデモを繰返し行つたわけではなく、比較的会社側業務に対する影響の少い様考慮して決定施行されたものであることを考慮すれば、階段とはいえデモのためこれを通行する当然の権利があるとみるべきでなく、階段を通つてのデモでも特に事務所は工業所の事業を統轄する最も重要な建物であることに徴すると、事情の如何によつては会社の管理権を侵害するおそれが多分にあるが、叙上の程度に止つた本件デモを以てはいまだ組合デモとして正当な限度を逸脱したとは認め難い。してみると、申請人の右行為を以て『徒党を組み喧騒し』又は『著しく工場の風紀秩序を紊したもの』とすることは相当でない……」（福岡地判昭三二・七・二〇労民集八・四）。

以上の判旨にもみられるように、その正当性の判断にあたつては、その行為が会社の業務を多大に侵害したかどうか、企業施設に対する管理権が基本的に否定されたかどうかといつた点が判断の中心的問題点となるとされるのである。

(二)　ニュースカーの運行と施設管理権　　またニュースカーを会社構内で運行することについても、以上の場合と同様に判断され、一定の範囲で正当な組合活動として容認される。この点についても前掲判例はほぼ妥当に次の如く判旨する。

【25】「右ニュースカー運行は組合の意思決定に基き該決定通りの組合活動を行つたもので、他の何れの執行委員にも同種の行為のあることであるし、かつ同車の工場構内使用は休憩時間中会社構内の主要道路を選んでなされたもので会社の操業に最少限度の影響を与えるに止めることが顧慮されていることにかんがみ、会社の管理権も組合の団結権に基く組合活動との関係で調和的に制限せられるべきであり会社は組合活動の便宜をも考慮しある程度の譲歩は行うべきであつたと考えられるので、これらの事情を考慮すれば申請人の右行為を以て特に『著しく工場の風紀・秩序を紊したもの』とするのは相当でなく、右ニュースカーを運行したこと自体は……懲戒事由には該当するものではない」（福岡地判昭三一・七・二〇労民集八・四）。

五　施設を利用した組合活動と建造物侵入罪

会社施設内で施設を利用して組合活動が展開される場合、会社側の退去要求がなされても退出しないような場合に、刑法上建造物侵入罪を問われることとなるかどうかがしばしば問題となる。この点の判断にあたつては、刑法の建造物侵入罪の保護法益を団結活動によつてどこまで侵害することが許容されうるかが問題となる。この点について、国鉄岡山管理局事件はほぼ正しい判断を示している。少し長文であるが以下に掲載する。

【26】「ここに手段の相当性ということは、刑罰法規によつて保護されている人権をその団体行動によつて侵害することを許容しうる限度の問題である。右人権とは、本件についていえば住宅等の管理権そのものではなく、刑法一三〇条の保護法益である住居等の平穏である。通常には管理者の意思に反することが、その平穏を害するものと観念されるので、住居等の管理権なるものが特に問題とされるのであるが、本件のような労使の紛争に起因し、しかもその対象が同局庁舎なる建造物であるばあいには、一般の住居に対するばあいとは、おのずから異なつたものがあるのである。そこで本件行動によつて同局庁舎の平穏が侵害された程度

について考察することとする。

本件行動の行われた場所は、鉄筋コンクリート造四階建の同局庁舎屋上である。組合側としては、右屋上を組合活動のために、当然に使用する権利があるものと思われないが、およそ同局庁舎附近で団体行動をする限り、同局の執務におよぼす影響を与えれば、同局庁舎前の広場について同局庁舎の平穏を害することの少い場所ともみられる。証人……などから認められるところの、右屋上は通常同局職員が休憩時間などに体操その他娯楽のため利用していたこと、過去において組合側が右屋上に集会などに使用したことが幾度かあつたことなどがこのことを首肯できる」

「右屋上滞留中の被告人らの具体的行動としては、同地本委員長の指揮のもとに、他の労働組合員数十名とともに、小集会を開いたり、デモ行進をしたり、労働歌の合唱をしたりしたほか、警察官などの実力行使によつて右屋上から排除される直前に、右屋上西南隅で座り込みを行なつたことが窺われる。かような行動によつて結果的に同局職員の執務に全く影響がなかつたとはいえないが、それは労使紛争の時に通常随伴する程度でやむをえないものというべく、これがため同局庁舎の平穏を著しく害したものとはいえないし、また同局庁舎の物的状態に対する侵害や管理局側の職員に対する暴力の行使は全くなかつたことが認められる。」また、屋上への立入りを拒否し、完全に組合側によつて占拠され、「管理局側の同局庁舎管理権が全面的に排除された」ともいえない。さらに、屋上の滞留時間が相当長いが、それも問題とはならない。

したがつて、「被告人等が本件行動によつて同局庁舎の平穏を侵害した程度は以上に考案したとおりである。これを前述した本件行動にいたるまでの経過にかんがみ本件行動によつて擁護しようとする組合側の権利、利益と比較衡量するときは、それは現行法秩序のもとで許容しうる限度内のもの、すなわち犯罪として処罰するにいたりうる程度にいたらないものであると考える。従つて、本件行動の手段は、その目的に適合した相当なものである、といわざるを得ない」（岡山地判昭三六・六・二三旬報別冊四二四号）。

三　文書活動

一　就業時間と文書活動

文書を配布したり貼付けたりする文書活動は、申すまでもなく組合活動の重要な一環である。したがつて、その活動と就業時間との関係はすでに「一、就業時間中の組合活動」の項で検討した考え方に従つて判断すればよい事柄である。

したがつて、労働協約、慣行その他使用者の明示または黙示の承認のない限り、原則としてそれは就業時間外に行なわるべきものである。しかし、すでに一で検討したように、就業時間中であつても、ビラ配布などの行為については、その行為のために他の従業員の作業を妨害したり、職場の秩序をいちじるしく乱さない限り、懲戒解雇に値するほどの行為であるとは考えられないとされている（前掲判例［4］参照）。

就業時間外や休憩時間中の文書活動は本来自由に行ないうるはずの行為である。ただ、それが会社施設内で行なわれる場合には、施設管理権から一定の制約をうけるにすぎない。

しかし、ビラの配布行為については、その施設管理の立前からも別にそれを制約しなければならない理由は見当らない。しかも、ビラの配布行為が組合活動のうえでかくべからざる行為であり、企業内組合という組織形態をとる限り施設内でビラを配布することを制約することは組合活動の否認にもつながることを考え合わせると、ビラの配布行為は全く自由に行ないうるものと考えられる（ただ、ビラの内容については問題が残る）。ほぼ、この立場を東京高裁は承認する。

【27】「ニュースの配布は正午から午後一時までの昼食のための休憩時間内に……なされたものに過ぎず、しかも休憩時間内の組合活動の原則として承認されている以上、その違反たるやまことに軽微なものというべきである」（東京高判昭三四・六・一六労民集六・三）（この事件について、大阪地方、中労委、東京地方はともに正当な組合活動として承認する）。

しかし、この事件について最高裁の判例は、それをくつがえして、次の如く判旨している。

【28】「本件配布行為が原判決のいうように軽微な職場規律違反であるとしても、原判決の確定したようにHが米軍基地内でビラ配布ができないことを知り、かつその配布行為が米軍所定の手続を経なかった以上労働組合の正当な行為をしたことにならないこと論をまたない」（最判昭三七・五・二四労経判例速報四三三・四、二）。

二　施設管理権と文書活動

（一）　掲示板　　組合活動としての文書活動が欠くことのできない重要な活動であり、他方ですでに述べてきたように企業内の組合活動が組合運動上必須の条件であり、団結権保障の内容として使用者はそれを容認することを義務づけられると考えられることから、組合文書を掲示するために必要な範囲での掲示板の設置を容認することが使用者に義務づけられる。そして、その掲示板の使用方法は全く組合側の自由にまかされる問題であって、それに干渉することは、組合の内部運営に介入することとなり不当労働行為になると考えられる。

（二）　組合ビラの会社施設への貼付・配布　　さきに述べたように、組合活動の一環として文書活動は欠くことのできない重要な行為であり、その一つの態様としてビラの貼付、配布といった行為が行なわれるのである。しかも組織運営が企業内を中心として行なわれる実情から、そのビラ貼付、配布も会社内で行なわざるを得ないはずである。そうでなければ効果はほとんどないことになる。そのために掲示板の設置といつたことが行なわれるのであるが、諸般の事情からそれだけではなお十分でないといつた場合も考えられる。まさに、組合の運営上の必要性から掲示板以外にわたつてビラを貼付けることが行なわれる。特に、闘争の準備段階、闘争中にはそのことが強く要請されてくる。

このような事情を考慮すると、一定の事情のもとでは、掲示板以外にビラをある程度貼付することあるいは配布することも組合の正当行為として容認されなければ、組合の運営の万全が期し得ないと考えられる。したがつて、使用者は一定の事情のもとでは掲示板以外のビラ貼付、あるいは配布を容認することを義務づけられるものといつて良いであろう。

ところで、そのビラ貼付、配布の当否を判断するにあたつての基準は次の判例の示すところが妥当であろうと考えられる。

【29】「職場内の貼付を禁ぜられた個所に禁を犯してビラをはることが職場規律を乱すものであることは否定しえないが、ビラはりビラまきは労働者の運動の最も通常の方法の一つであつて、これが職場規律の違反になるかどうかは、そのなされた場所、その際の状況、回数、ビラの内容、この種行為に対する会社側の態度などを考慮しなければならない」（東京高判昭二八・四・一三労民集四・二）。

以上の如き基準に従つてその行為が容認されるものである限り、例えば、協約または就業規則でビラ配布行為を事前に届出することを義務づけていたとしても、その手続をへないでなされたビラ配布行為は、少くとも懲戒処分に該当するような職場秩序を乱した行為にはあたらないと考えられる。

この点について、諸般の事情を考慮しないで以上の考え方を否定する如き判例があらわれている。

【30】「労働協約第五一条によれば『組合が会社の施設又はその敷地内において印刷物を頒布する場合に

は事前にその旨を会社に届出る」義務を負担していることが明らかであつて、このような規定の存する所以は、会社の施設ないしその敷地内における印刷物の頒布行為が正当な組合活動の範囲内に属するや否や、またこれによつて作業能率を阻害する惧れがないかなど、会社をして事前に諸般の情勢判断をなさしめるためのものと解される。しかして個々の組合員といえども組合が負担する前記届出義務を尊重し、その趣旨に則つて行動すべきことは、組合の構成員として信義則上当然のこととみるのが相当である。しかるに申請人（被解雇者＝引用者注）はかかることを些かも意に介せず、就業時間中にすら数回に亘つて会社の構内においてパンフレットを配布したのであるから、申請人の右行為は職場の秩序を紊し或いは紊そうとしたものと判断されても止むを得ないであろう」（名古屋地決昭三五・四・一一労民集一一・二）。

しかし、前記【29】東京高裁の判例は、上記の如き基準を示しながら、さきに述べた考え方とほぼ同旨の判旨を示している。

【31】「昭和二十三年十一月頃から翌年度にわたる給料の遅配状況にかんがみ、当時の労使関係において、かかるビラ貼付行為そのものが他の規則違反と異別に取り上げられる程の工場秩序違反と考えられていたかどうかについては、これを肯認する疎明に乏しいこと、しかも会社が前記疎明資料において債権者H・Qにつき右事実を解雇事由としてあげていない事情を綜合すれば、Mを除く右債権者等の行為自体は工場秩序に触れないとはいえないにしても『職場秩序』の適用上他の残存従業員と多く区別すべき程のものとは認められず、その程度は軽微と言わざるを得ない」（東京高判昭二八・四・一三労民集四・二）。

さきに述べた如く、ビラの貼付、配布の当否を判断するにあたつては、「そのなされた場所、その際の状況、回数、ビラの内容、この種行為に対する会社側の態度」など諸般の事情を考慮して決すべきであるが、闘争準備段階特に闘争中はビラ貼付、配布の必要性は増大するわけであり、その視点からビラ貼付、配布の容認される範囲は広くなるものと解して良いであろう。

このような立場にたつて、具体的に判断した判例を示すと以下の如くである。

【32】 組合側がビラ数百枚を会社が指定した場所以上の本社の事務所、ろう下、工場の各天井、壁等にはりめぐらした事案に対して、「ビラの貼付が申立人会社の指定許容した場所以外になされたことは、当事者間に争のないところであるが、右貼布掲示は、申立人会社社屋を損傷汚損しないように、貼布用ビニールテープを用い、かつ、申立人会社の業務遂行を現実に阻害することのないよう（例えば天井高く貼布）なされたことは、……明らかで、争議という異常事態において、右の如き程度の場所、方法によつて掲示貼布することは特に違法として、これをとり上げ云々するに足りないと解する」（高知地判昭三一・一二・二八労民集七・六、同旨、鳥取地判昭三〇・一・二〇労民集六・一）。

三　ビラの貼付と器物損壊罪

ビラを窓ガラスや壁やふすま、障子戸、机の上等に貼付した場合その行為が器物損壊罪に該当するかどうかが問題となる。特に、刑法上の器物損壊罪の「損壊」の概念を組合活動としてなされたビラ貼付の場合にどのように解するかが問題となる。この点を明確に判断した判例に次のものがある。

【33】 被告人側の主張は「窓硝子又は什器にビラを貼る行為、オーバーを糊で汚損する行為は刑法に言う器物損壊には当らないというのである。しかし前記各証拠によるとそのビラ貼りの状況たるや尋常一様のものではなく、被告人H等は右横川駅長室内に所嫌わず実に数百枚のビラを貼りつけ、殊に窓硝子には余すところなく一杯に貼りつけたものであり、為めに同室特に窓硝子は美観を損なつたのはもとより、昼間であるのに拘らず採光することができず、電灯を点じなければ執務し得ないと言う異常な暗さを招来し、又駅長事務机は約バケツ一杯の糊を流し、且つその上にビラを貼りつけたため、その儘では到底その上で執務は困難な状態となり、駅長の合オーバーはクリーニングしなければ絶対に使用に堪えない程度に汚損したものであ

ることがそれぞれ認められるのである。すなわち合オーバーは固より右窓硝子及び駅長用事務机も被告人Hの右の如き所為により一時的ではあつてもその本来の効用を滅却されたものと言わざるを得ないのである。所論は右窓硝子、駅長用事務机及び合オーバーはいずれも物理的破損を受けておらず水洗い等による清掃或はクリーニングにより容易に原状に復元せしめ、何等の不都合なくして再び使用し得られるから、損壊とはならないと言うものの如くであるが、刑法にいわれる損壊とは物理的に物の一部又は全部を害し、又は物の本来の効用を失わせしめる行為を言うものであつてその物を修復して再び使用することのできない程度に毀損すると言うことは必ずしも損壊の要件でないことは、既に判例が盗難、火災予防のため土中に埋設したドラム缶入ガソリン貯蔵所の土壌を発掘してこれを露出せしめた行為、或は看板を取外して投げ棄てる行為など復元の比較的容易な毀損行為について器物損壊罪の成立を認めたことに徴するも明らかと言わねばならない。

以上要するに合オーバーについて損壊罪の成立すること疑の余地なく、又駅長用事務机、窓硝子等に対するビラ貼り行為も、前段で説示したその方法、程度及びそれによつて受けた影響等各般の状況を勘案すれば、少くとも本件の場合に関する限り既に損壊の域に達しているものと言わなければならない」（広島高判昭三六・七・三旬報別冊四四五号）。

以上の判例は刑法にいわゆる損壊の概念を一般の刑法理論をそのままうけて物理的損壊にいたらないものまでも含むと判旨しているが、片岡教授の指摘する如く、「文書の掲示や配布が組合活動の重要な手段であることや、組合活動が企業施設に依頼せざるをえない実情等を考慮すると、物理的損壊に至らない程度であつて、修復すれば再び使用することが可能な程度の毀損は犯罪にはならないと考えるべきではなかろうか」（片岡・労使関係のルール一〇四頁）。

四 懸垂幕と施設管理権

組合活動の一環として、特に官公労の組合では懸垂幕をたれるということが行なわれる。この懸垂幕を無許可でたれる行為に対して、二つの相反する判断が出されている。

まず、その行為を正当な組合活動でないとした人事院の判定は次の如く主張する。

【34】「庁舎を利用して懸垂幕を掲出するについては、庁舎管理の責を負う当局の許可を得なければならないことは当然であるし、当局に無断でまたは制止を無視して、懸垂幕を掲出することは、正当な組合活動とは認められない」(人事院判定昭三六・一・一二旬報別冊四一二号)。

右の判断に対して、「あながち不当だとはいいがたい」として、一応その行為を容認した判例は次の如く説明する。

【35】「管理局側の許可なく、懸垂幕を懸垂したことが、その内部規律に違反している点は別として、組合側の争議行為以外の態様による団体行動の重要性、そこでの懸垂幕により世論に訴えるという行動の意義、企業内組合であるという事情などから考えると、組合側の懸垂幕の懸垂それ自体をあながち不当だとはいいがたい」(岡山地判昭三六・六・二三旬報別冊四二四号)。

後者の判例のいうように、争議行為以外の団体行動として、世論に訴え自分達の要求を実現しようとする懸垂幕の掲出は、特段の事情のない限り容認さるべき事柄であると考えられることから、後者の判断に賛成したい。

しかし、後者の判例も「あながち不当だとはいいがたい」としながらも、

【36】「一方、管理局側がその管理権に基いて、その施設を利用してなされた懸垂幕の撤去を要求し、組合

側がこれに応じないときにみずから撤去しようとすることは、本来なんら差支えないはずで、これを管理権の乱用だともいえないだろう」（岡山地判昭三六・六・二三旬報別冊四二四号）。

としている。

五　文書の内容

（一）　組合の配布または貼付した文書の内容から、その組合活動の正当性がしばしば問題となる。この点に関する判例は多数出されている。

ところで、文書活動は組合活動の一環としてなされるものであることから、その内容は当然労働者自身が自主的にきめるのが原則である。その内容について使用者が干渉することは、組合の運営に対する不当な干渉として不当労働行為となるものと考えられる。

しかし、その文書の内容が虚偽または歪曲誇張の事実を示し、ことさらに会社の信用を失墜せしめることを意図したり、個人の信用や人格名誉をいちじるしく侵害することのみを意図したものは、正当な組合活動の範囲を逸脱したものと考えられる。

【37】「組合活動としてなされる文書の配布であつても配布者がその文書に記載されている文言により他人の人格、信用名誉等を毀損失墜させ又はさせるおそれがあり且つ文書に記載の事実関係が虚偽であることを知り又は知らなくても容易に知り得べきものであつて、知らなかつたことにつき重大な過失があつたり、その他文書の記載自体、配布の状況などによりその配布目的が専ら他人の権利、利益を侵害する悪意を有し又は有するものとみとめられるときは一応不当のものというべきである」（東京地判昭三五・五・二六労民集九・三）。

（二）　ところで、しばしば文書活動として会社の経営または営業方針を批判することが行なわれるが、そのこと自身は勿論組合の正当な活動の範囲内に属するものと考えられる。しかもその批判が多少誇張に及んでも、労働者の経済的地位の維持向上をめざすものである限り正当な組合活動であると考えられる。ただ、その批判が虚構の事実を宣伝し、ことさらに会社の信用を毀損する目的をもってなされた場合には、正当な組合活動とはいえないものと考えられる。

次の判例は、ほぼ以上の考え方を示すものである。ただ、本件についてまかれた宣伝ビラの内容が果して判旨の示すごとく虚構の事実を宣伝し、「会社の信用を毀損する目的」でなされたものと考えてよいか疑問である。

【38】　争議中、教宣部の組合員たちが、外部団体員とともに農村に行き「もうけるためには民族を売る肥料資本家を総攻撃しよう」とか「硫安を輸出出血するな、肥料を安くよこせ」などの宣伝ビラをまいたことが懲戒事由とされた事案に対し、

「組合が団結権を擁護し組合員の経済的地位の向上を図る目的で会社の経営又は営業方針を批判することは正当な組合活動の範囲内に属するものであり、その批判が多少誇張に及んでも、特に不当の目的に出ない限り、これによつて会社の信用に影響してもやむをえないところであつて、労組法第七条にいうを妨げないと解すべきであるけれども、前記のような虚構の事実の宣伝は一応殊更に会社の信用を毀損する目的をもつてなされたものと推認するの外はないのでたとえ争議中に組合活動として実行されたものといえども正当な組合活動の範囲外の所為と解するのが相当である。したがつてこのような宣伝活動を企図或いは実行した従業員が就業規則に照し会社からその責任を問われてもやむを得ない」(東京地決昭三一・八・一五労民集七・四)。

会社を批難する内容をもつた文書を配布した事案に対し、それが労働者の経済的地位の維持向上をはかることを目的とするものであり、経営者に対する誹謗中傷、会社の施策職制に対する揶揄讒謗に

もわたらず、また、会社の信用失墜、業務妨害、名誉毀損にもあたらないとして、ほぼ妥当な判断をした判例に次の如きものがある。

【39】　組合の配布した文書のなかに「被申請人会社の従業員に対する苛酷な態度、殊にスパイを以てする従業員の監督」「各従業員の尋問を無視した不合理な人事移動」、「元組合書記長である訴外瀬沼進の被申請人会社退職前後の同人に対する被申請人会社の不当な圧迫」「被申請人会社生産品の品質低下」等の不当な記事があることを理由にした懲戒解雇処分を不当として争った事案に対して、右の如き内容をもった文書活動が正当な組合活動といえるかどうかについて次の如く判断する。

まず、右の如き文書活動をしたことの「その目的は右非難の対象となった事由を除去することにより労働者たる組合員の労働条件を維持改善し、又被申請人会社の発展を通じて組合員の経済的地位向上を計るにあると認められる」とし、被申請人会社の「経営者に対する誹謗中傷会社の施策職制に対する揶揄讒謗」であるとする主張に対して、それは「必ずしも特定者に対する攻撃としての客観的表現を有しない部分もあり、又その他の箇所において明かに経営者に対して向けられた攻撃であっても単に比喩的表現であって、とりたてて咎むべき程度に至らぬものもあり、その他その箇所があるために前記認定の様な目的にも拘らずその記事全体を不当ならしめる程強度な誹謗中傷或いは揶揄讒謗はこれを認めることができない」としている。

また、「会社の信用を失墜、業務妨害名誉毀損」とする主張に対しても、「現在被申請人会社においてラジオ部品として使用しているナショナル真空管は従来使用されていたマツダ真空管より品質が劣悪であると、少くとも一般ラジオ小売商業者の間において理解されていた事実が一応認められるので、会社に対する名誉毀損と言いうるか否かについて疑あるのみならず」この記事の意図が前記の如き目的のもとになされたのであるから不当とはいいえないとして、以上の文書活動は正当な組合活動である（横浜地判昭二九・七・一九労民集五・四）。

なお、真実に反すると思われる記事を掲示しても、人心を惑乱し、会社の業務の運営を妨害する意図でなされたものでなく、労働条件の改善といった労働者の経済的地位の向上をめざす目的でそれがなされ、その記事が真実に若干反する程度であれば、違法行為とはいえないと判旨している判例がある。

【40】「もとより一般的・抽象的に立言すれば、かかる行為は違法なものといい得るであろうが……従業員の人心を惑乱し、会社の業務の運営を妨害する意図でなしたとの証拠は何もなく、むしろ……Yにおいて、従業員の労働条件改善のためなしたと一応推認できるわけでもあるし、掲示をなすに至つた経緯及びその表現において著しく妥当を欠くわけでもない点を考慮するとき、たとえ右掲示内容につき、真実に反する点が若干あり、又Yがその真否につき、確認の方法を講じなかつた点があるとしても、それが全く許容できない違法行為であるということはできない」(高松地判昭三一・一・二〇労民集七・一)。

(三)　また、文書の内容として、しばしば個人特に会社幹部に対する批難攻撃が行なわれることがあるがその場合でも、その文書の内容が虚偽または歪曲誇張の事実を示し、個人の信用や人格名誉をことさらに侵害しようとするものでなく労働条件改善、団結の強化のためになされたものと判断される限り、正当な組合活動であると考えられる。特に、争議時においては、ある程度激越な文字を使用したり、侮辱的言辞があつたとしても、許容されるものと考えられている。判例もほぼこの考え方にたつ。

【41】会社の幹部の経営の専断、陰謀などの事実を記載した、「まず全面撤回を会社に申入」「下坂、川淵両氏辞表を撤回」「不正とは断固たたかう、切捨ご免の人権蹂躙だ、中野重役重大決意表明」「さあ署名とスト権確立だ、暴力に対する正義の武器」「あすは我身に」等の文書を配布した事案に対して、「その内容につ

いても、措辞激越なるものや、会社幹部に対する侮辱的言辞も散見するが、その基調とするところは、組合員の団結と意気の昂揚を目的としたものであつて、会社乃至その重役の信用、名誉を毀損する意図の下に為されたものでないと解せられ、争議という特殊な雰囲気の中においては、その程度の表現は許さるべきであり、敢て違法とすべきでない」（高松高判昭三二・六・一一旬報別冊二七七号）。

しかし、右判例の第一審は、以上の文書中一部は特定の個人を誹謗し、争議目的を達成するための必要な手段方法の限度を越えているから違法であるとするが、なお、争議という異常事態を考えれば、その違法は軽微であり、懲戒処分は権利の乱用であるとしている（高知地判昭三一・一二・二八労民集七・六）。

以上の判例の示した態度とは異り、その文書の内容と組合活動との関係をほとんど考慮せず、特に、それが私人の信用や名誉をことさらに虚偽または歪曲誇張したかどうかの判断にもふれないで、違法な争議行為としての評価を与えている地労委の決定もある。

【42】「……顕著なる理由もなく被申立人側の事実上の業務担当者である専務理事Sの不信任を決議し、勇退勧告をなし外部に対しビラを頒布し、貼紙を貼る等大々的に報告し、世間の注目を集める行為を採つたことは専務理事Sの非違を疑わしめ、些細な事柄によつて反響をもたらす証券界において、投資家の神経を刺激し被申立人側の信用を一時的にせよ失墜せしめたことは見逃がすことが出来ない。かかる争議行為はその手段方法、必要性において免脱したもので所謂正当な争議行為と認めることは出来ない」（愛知地労委昭三二・七・一八旬報別冊二八六号）。

（四）つぎに組合の脱落者に対して、ある程度激越な措辞を呈して批難したり、侮辱的言辞をろうした文書を配布したとしても、それが組合活動として団結強化のためになされたと考えられる限り、正当な組合活動であると考えられる。

【43】「被告人両名が前示組合の企業整備反対闘争の最中、組合員Fが組合の反対にも拘らず、会社の希望退職募集に応じたのを不快とし、広くこれを組合員に周知させてそのみせしめにしようと企て、両名共謀の上、昭和二十八年九月三日、掲示用白紙数枚に「狂人現る」と題し、Fが甘言に籠絡され、僅かな金に目がくらんで退職したのは狂人に等しい所為である旨の事実を記載し、これをその頃空知郡歌志内町字文珠の数ヶ所に貼布し、以て同人の名誉を毀損したと謂うのであるが、証拠によると、公訴事実は十分これを認定しうるけれども、右は単に被告人の個人的な行為ではなく、組合本部の決定に基く労働争議の一環として行われたものであり、しかも被告人両名の主たる意思は組合員の団結を図ることに存したことが認められるので、かかる事情と、当時の会社と組合の交渉の経緯、Fが退職した前後の事情、本件ビラにより本人が害せられた社会的評価の程度等諸般の情状を併せ考えれば、使用された文言等に妥当性を欠く憾みはあるが、社会通念に照し、右は労働組合の正当な行為として、労働組合法第一条第二項本文によりその違法性を阻却さるべきものと解する」(札幌地岩見沢支判昭三〇・二・一一旬報別冊二二二号)。

(五)　配布または貼付けられた文書の内容が、たまたま破壊的な字句によってつづられていたとしても、その文書全体の趣旨が労働条件その他の経済的地位の向上を目指すものであったり、—団結強化のためになされたりするものである限り、正当でない行為とは考えられない。

【44】「同申請人等の行為の情状について判断する。通常文書の発布行為の情状について考慮さるべき事項は、文書の内容又はその配布の時期方法結果等であるが本件においては配付の時期方法が当を失した旨及び配布により職場秩序紊乱等の結果を生じた旨の疎明がないのであるから、結局別紙『一人十殺』と題する記事の意味、換言すれば、その記事に表明された同申請人の意図が情状判断について考慮さるべき唯一の事

項である。右記事が『一人十殺』という表題を殊更大きく掲げ『一人十殺でこの世をオサラバ、一人十殺とは、一人で十人を殺すこと、この場合は社長以下を指す文句であります。』と誌していることは、誠に不穏当であり、この文言のみを読むときは、同申請人等の被申請人会社社長以下首脳者に対する殺意を大胆にも表明したものと解されてもやむを得ないであろう。しかし……中略……右『一人十殺』の記事全体を通覧するときは、前記不穏当な文言の存在にもかかわらず、これが殺意を表明し、又は殺人を教唆表明したものとは到底解することができない。寧ろ右記事は、労働者の極端な生活の窮乏を訴え、この窮乏を脱却するためには、一人で十人に当る気構えをもつて、団結して被申請人会社に対抗し、ストライキの手段に訴えても、二ケ月分の賞与を是非獲得しなければならないことは強調した趣旨と解するのが相当である。従つて、文書の用語が不穏当で非難を免れないとしても、その意味が不法なものでないのであるから、賞与の獲得が労働者にとつて切実な要求であるという社会経済事情を考慮に入れ、情状酌量するのが相当であり、同申請人の右行為は、懲戒解雇に価しないものといわなければならない」（東京地決昭三一・八・二一労民集七・四、なお、同異議申立事件もほぼ同旨の判断を示している。東京地判昭三三・七・一八労民集九・四・四三四）。

合併・営業譲渡・解散と労使関係

慶谷淑夫

はしがき

企業の合併、営業譲渡、解散によって労使関係は、いちじるしい影響を受けるわけであるが、この点に関する判例は少ないし、また理論的な論稿も少ない。これらの問題は、労働法と商法との接点におけるものであるだけに、理論的にもむずかしいものを含んでいる。

本稿は、判例を中心として、できるだけこの問題に明確な解答を与えようとしたものである。

一　企業の合併と労使関係

一　合併の効果

企業の合併の場合には、それが吸収合併であれ、新設合併であれ、存続会社または新設会社は、解散会社を清算手続を経ないで合併していくのであるから、解散会社の権利義務を包括承継する(商四一六Ⅰ・一〇三)。これが、労使関係にどのような影響を与えるかについて、以下分説することとしよう。

二　合併と労働契約関係

まず、労働契約関係はどうなるか。解散会社の労働契約関係は、新設会社または存続会社に承継されると解するのが通説である。民法六二五条一項は、「使用者ハ労務者ノ承諾アルニ非ザレバ其権利ヲ第三者ニ譲渡スコトヲ得ズ」と定めているが、これも特定承継のときに問題となるにとどまり、包括承継のときに問題となる余地がない。

労働契約の包括承継説をとると、会社の合併によつて労働条件がつねに改善されるとは限らないから不利ではないかという説もある。立法論としては、労働者の解約申入権を考慮する余地はあるにしても、現行法上、労働者が労働契約の包括承継を組織的に阻止する途はない。もつとも、賃金債権の未払等のある労働者が、合併に対して賃金債権者として異議を述べることはできるが(商一〇〇・四一六)、これも合併に対して、労働者としてまたは労働組合として一般的に異議を申し立てることを認めているわけではない。しかし、合併によつて労働条件が低下するおそれのある場合には、労働者または労働組合は、労働条件の低下を防止するという目的を貫徹する手段として合併に反対したとしても、それが不当な組合活動であると認められることはないと考える。

合併の場合には、合併契約によつても、権利義務の一部につき移転を留保できないと解せられているが、京都日日新聞社事件（京都地労委昭二五・三・三一命集(1)救一五）は、労働者の個人的性能を重んずる企業においては、合併後において賃金の支払のような具体的個別的な財産法上の債務は別として、労働契約関係は当然には承継しないと定めることができる趣旨のことを述べているが、理論上問題のあるところである。

【1】「申立人は昭和二十四年十二月京日が被申立人京都新聞社に合併されるとともに不当解雇者たちの労働契約は当然に京都新聞社に承継されると主張するが、何千何万という多数の労働者を包容する大企業ならば或はそうであろうが、小企業または労働者の個人的性能を重んずる新聞企業にあつては、労働契約は概ね各個々の労働者と使用者のあいだの信頼関係を基礎とすると解される。従つてそうした労働契約関係は商法第百三条により合併会社に当然承継されるとはいえない。そのためには合併会社の承諾を必要とする。本件合併契約書第五条が「合併当事者の協議によつて京都新聞社は新規採用の例により京日の使用人を引続き使用することができる。」と規定しているのもその趣旨である。だからこの点に関する申立人の主張は理由がない。しかし、解雇が労働組合法第七条第一号の不当労働行為を構成するときは一方においては復職の原状回復が生じ、他方においては解雇のときから時々刻々に復職による賃金を支払うべき具体的個別的権利義務が発生し、解雇者はその実現（いわゆる原状回復）を内容とする救済を労働委員会に対して請求する権利をもつ故に復職の点は特別の事由がない本件では合併契約書第五条によつて承継されないが賃金を支払うべき具体的個別的義務は普通の財産上の債務であつて商法第百三条、本件合併契約書第四条により当然に合併会社たる京都新聞社に承継される。従つて被申立人は合併前京日が解雇のときから合併のときまでに支払わ

ねばならなかつた賃金相当額支払義務……は当然に承継せねばならない」（京都日日新聞事件、京都地労委昭二五・三・三一命集（2）一救一五）。

三　合併と労働協約・就業規則関係

労働協約が企業単位に締結されているわが国の現状からみると、解散会社の労働協約は、当然に新設会社または存続会社が法律上承継すると考えられる。しかし、存続会社、新設会社と解散会社の労働条件、労使慣行は、異なるのがふつうであろうから、この点はすみやかに調整する必要のあることはいうまでもない。この場合、労働条件等は、それが高い会社の方へひきよせられることとなるであろう。

なお、就業規則についても、解散会社のものが承継されると解せられるから、新設会社または存続会社においては、二つの規則を調整しない限り、二つの就業規則が存することになるが、就業規則は、本来事業場単位に作成することを予定されているのであるから（労基八九）、法律論としては別におかしくはない。しかし、服務規律、労働条件の不統一の点は、できるだけ早く統一する必要があるだろう。

四　合併と不当労働行為

合併は、労働契約を包括的に承継するから、その際に労働者に対して組合活動を理由とする差別的取扱が行なわれる余地はない。しかし、合併されたにもかかわらず、その際特定の労働者に対して、組合活動を理由とする解雇が行なわれたとすれば、その解雇は、労働組合法七条一号違反の不当労働行為として争われうる（〔1〕参照）。これは、不当労働行為の一般的な問題である。

また、今までに問題となつた事件としては、不当労働行為事件の係属中使用者の会社が吸収合併されたときに、合併会社が手続を受継するかどうかが争われたものがある。京都地労委は受継を認めている。

【2】「一、昭和二十四年九月十九日本件の申立後同年十二月一日当初の被申立会社京日が京都新聞社に合併され、同月十三日その旨の登記を終了した事実は当事者間に争のない事実である。合併により京日は消滅するが民事訴訟法第二百九条の要旨を類推し、合併会社たる京都新聞社が本手続を受継するとせねばならない。

二、被申立人は申立人組合は京日が合併によつて解散したときから自然消滅し、本件申立の当事者適格をもたぬと主張するが、申立人組合の少くとも本件が結了するまでは清算組合としても存続すると云わねばならないからこれだけでも申立人適格は存する。従つてこれに反する被申立人の主張は理由がない」(京都日日新聞事件、京都地労委昭二五・三・三一命集(2)一救一五)。

二　営業譲渡と労使関係

一　営業譲渡の効果

営業譲渡は、商法上一つの債権契約をもつて営業という社会的活力を有する有機的な組織体を譲渡することであり、営業を構成する各種の動産・不動産或は債権につき、各別に権利の移転及び対抗要件をとることが必要であり、債務については、債務引受を要するとするのが商法上通説であり(石井・商法I九〇頁以下)、包括承継でない点が会社の合併と異なるところである。営業の譲渡においては法的主体の交替にかかわらず企業の同一性が失われなければよいし、またそこに営業譲渡の本質を見出すことができる。

二　営業譲渡と労働契約関係

問題は、営業の譲渡契約によつて営業が譲渡される場合に、労働契約が「当然に」そのまま譲受人に引きつがれるかということである。

まず、近代の企業または営業は、客観的な組織となり、労働者は、使用者というより、企業または営業自体に使用されるともいうべきであり、使用者の変更は、その労務の内容にまで変更を及ぼさず、また、労務者は通常の場合、使用者が変更しても職場を失わないことを欲するというのが実情であるから、営業の譲渡において雇用関係は一体として移転すると解し、ただ労働者の意思を強制すべきでないとして船員法四三条の規定と同じように、民法六三九条を類推適用して労働者に解約権を認めていこうという見解がある(我妻—有泉・法律学体系コンメンタール編3四一五頁、末弘「労働契約」岩波法律学辞典第四巻二七七七頁もほぼ同旨)。

判例にも、企業の経営組織の変更を伴なわず、企業の主体の交替にとどまる営業譲渡の場合には、労働契約の包括承継説をとるものがあり、その理由づけとしては、船舶所有者が変更した場合には、船員の雇入契約は当然に終了する代りに船員と新所有者との間に従来と同一条件の雇傭契約が存するものとみなす、船員法四三条の規定が引用されているほか、【4】では、かかる場合における労働契約の承継存続が企業の社会的公共的要請にこたえるゆえんであるといつている。

【3】　財団法人済生会が、その直営診療機関として、経営していた済生会病院及び済生会産院、乳児院を昭和二十五年三月三十一日現在で右両病院の建物、設備、器具、什器一切及び右両病院の全職員を現職、現給のまま財団法人済生会支部東京都済生会（以下単に「東京支部」という。）の管理に移し、かつ両病院を

合して、東京都済生会中央病院（以下「中央病院」と略称）と称するにいたつたが、「済生会」は昭和二十五年三月三十日附を以て、勤務年数通算十年四ヶ月の医師を免職させたのでその訴の当事者適格について問題となつた。

「(一)　被申請人等の当事者適格

申請人主張のように本件免職が無効であるとすれば、申請人が現在いずれの被申請人の従業員となつているかということによつて、被申請人等の当事者適格が定まるから、まずこの点について考察する。

「済生会」と「東京支部」とは病院の管理、人事、会計の点では独立した経営体であるということができるが本件病院の移管は「済生会」両病院の建物、設備、器具、什器一切及び右両病院の全職員（但し申請人についてはは争がある）を現職、現給のまま「東京支部」の管理に移すものであるから、有体、無体の財産（物的要素）及び労働者（人的要素）の有機的統一体たる経営組織は解体せられることなくその同一性を維持しつつ存続し、単にその経営を指揮、管理する経営主体が交替したにとどまると解すべきである。かかる場合の法律関係を考えると、経済的には、経営組織が包括的に新経営主体に承継せられるのであるから、法律的にも、旧使用者との労働関係がそのまま新使用者に包括的に当然承継せられたとみるのが相当である。（なおこの法理は船舶所有者が交替した場合に旧所有者とのあいだの労働契約は終了するが、その終了の時から新所有者とのあいだに従前と同一の条件の労働契約が成立したものとみなすという船員法の規定（同法第四十三条）からもうかがえる。）このように理解すると申請人は、「東京支部」に対しては従業員たる地位の確認その他の請求をなす利益を有するが、「済生会」とのあいだには何等雇用関係が存在せず、これに対して地位の確認を求める利益は存しないのであるから、その確認を前提として「済生会」に対し地位の保全を求める本件申請は爾余の点について判断するまでもなく失当である。」

「(三)　「東京支部」への承継

従つて、前項で述べたところに従い、申請人は昭和二十五年四月一日以降「東京支部」の職員たる地位を取得したことになる。もつとも職員の承継に関し、「東京支部」は申請人をその職員として任命する意思がなかつた旨主張するが、前記のごとき経営組織の承継の場合には、正当の事由なくして特定人の承継を拒否し得ないと解しなければならない。けだし経営組織ということに着目してみれば、その活動の継続中経営主体の交替に際し、特定人を排除することは、実質的には、そのものを解雇すると同じことになるのである。而して被申請人等の提出した疎明方法によつても申請人が病院経営の円滑な遂行を阻害するほど調和性を欠くという事実は認められない。従つて、申請人は「東京支部」の職員となつたものと解すべきである」（済生会事件、東京地決昭二五・七・六労民集一・四・六四六）。

【4】「労働契約はわが民法上雇傭契約に属するから、普通法としての雇傭契約に関する規定あるいは契約一般に関する私法原理が適用される。しかし、労働者の給付義務は単なる物の給付義務と異なり、労働者本人の人格（人間自身）と切り離して給付し得ないものであり、労働者は企業組織の中に組み入れられ組織づけられた地位において、自らを企業所有者もしくは経営者の指揮命令権にゆだねるものである。すなわち、企業内に充用される労働は企業経営組織内の労働として企業所有者に機能的に従属する。そこで、労働契約関係は個別的債権法的性格とともに組織法的性格をも有するものであつて、この特質にかんがみるときは、雇傭契約に関する規定や債権法的私法原理は労働契約には全面的には妥当せず、修正ないし排除されねばならないものが存するといわざるをえない。企業譲渡と労働契約の帰すうの問題もこれに属する。営業は主観的観察においては商人の継続的な営利活動を意味するが、客観的に観察すると、商人の一定の営業のための組織的一体としての機能的財産であり、現代の企業においては、この組織化された機能的財産は、これに企業に組み入れられた労働者の労力が結合して、一体的な有機的組織体を構成している。企業からこの労働力を切り離すときは、その一体的有機性は破壊される。企業に従属する労働者は、特定の企業所有者あるいは企業経営者に対して労働を提供するというよりは、むしろ企業自体に奉仕する人格的存在である。ところで

企業の譲渡は、前述の客観的意味における有機的組織体としての機能的財産の移転を目的とする債権契約であり、その履行によつて譲受人がその営業の主体となるものと理解されるのであるが、その動機は企業自体が一個の経済的価値を有するものとして取引の対象性を有するところであり、その経済的価値は企業の有機的一体性を害しないで行なわれるところに維持発現される。企業譲渡において企業の経営組織が縮少変更されることなく同一性を維持しつつなされるときは、組織内に配置された集団的労働関係も縮少変更の要がないから、企業維持のためにそのままの状態で、営業主体の変更に伴つて新主体に承継されるか又は承継されると同様な措置が採られるのが一般である。この労働関係を承継存続させることは企業が社会的公共的要請に応えるゆえんでもある。なんとなれば、企業は営利的な私法的存在であるとともに、それを支配する企業所有者、経営者、それに依存する多数の従業員労務者およびその家族を含め、企業そのものが公共的性格を有するものとして保護せられるべき一個独自の社会的法益であり、企業譲渡に労働契約関係が随伴されるものとすれば、そうでない場合に生起する雇傭契約終了に関する諸問題、とくに深刻な失業問題を回避しえられるから、企業の譲渡は、社会的混乱を伴わず円滑に行なわれ、社会経済の発展に寄与することになるからである。ひるがえつて法の領域をみるに、企業譲渡に際し労働契約関係が承継存続される旨を定めた一般的規定は存しない。しかし、特殊的な例証として船員法第四三条がある。すなわち船舶所有者の変更（相続、会社の合併その他包括承継の場合を除く）があつたときは、船員の雇入契約は当然終了、この終了の時から船員と新所有者との間に従前と同一条件の雇入契約が存するものとみなされる。なおこの場合、旧所有者は船員に一ケ月分の給料同額の雇止手当を支払うべきものとされる（船員法第四六条）。これ、船舶および船員の労務関係の特殊性を考慮した規定であつて、この理を直ちに労働者一般に拡張適用することは差し控えねばならないが、企業組織の変更を伴わない主体的変更の典型的な場合とすれば、規定の趣旨と解決の方法は、本問題を考えるについて十分考慮に値いするものがある。又商法第一〇三条によれば、企業組織の変更を伴なわない会社の吸収合併、新設合併の場合、存続又は新設の会社は合併に因つて消滅した会社の権利義務を承継するものであるから、労働契約関係も当然承継移転する。この場合は地位の包括承継であるのであるが企業組織の変更を伴わない企業主体の変更の一場合であることが着眼されるべきである。以上述べ来つた労働契約の組織法的性格を基底において労働問題の円満な解決という企業への社会的要請、船員法にみられる一の前駆的法解決、包括承継の場合における商法の規定等を彼此考察すると、企業の経営組織の変更を伴わないところの企業主体の交替を意味するがごとき企業譲渡の場合においては、その際に附随的措置として労働者の他の企業部内への配置転換がなされるとか、その他新主体に承継せしめない合理的な措置が採られる等特段の事情のなされないかぎり、従前の労働契約関係は当然新企業主体に承継されたものと解するのが相当である。

右労働関係の当然承継がなされる場合には、それが集団的性質を有することにかんがみ、労働者の個々的同意を必要とせず、直ちにその効力を生ずると解するのが相当である（民法第六二五条の修正理論）。かような場合に右の如く解しても、特段の事情なきかぎり、一般には労働者にとつてなんらの不利益をもたらすものではないからである。しかし、もし、特定の労働者が企業の譲受人との間に労働関係の継続を欲しないならば、新主体に対し退職を申し入れ、即時解約をなすことができると解すべきである（船員法第四三条第二項は、船員に新船舶所有者との間に存するものとみなされる雇入契約について解除権を与えている）」（大阪高判昭三八・三・二六判タ一四六号六七・六八頁）。

これに対して、従来の通説的立場は、「営業の譲渡に当り営業譲渡当事者の合意によつて労働者の引き継ぎを具体的に協定することとし（従つて場合によつては労働者の引き継ぎを除外することもあるであろうが）、他方労働者の関係が営業の譲受人によつて引き継がれるに当つては各労働者の同意を要する」

（石井・商法における基本問題一七三頁）という立場をとる。

この立場をとる判例としては、つぎのものがある。

【5】「ところで被告会社は、昭和三一年八月二〇日、同日設立の被告会社と同一商号であつた訴外十倉紙製品株式会社（後昭和三一年一〇月一日商号をマルヰ紙製品株式会社と変更）に対し、商号、工場、工員、在庫品、営業権及び諸設備等営業一切の包括的譲渡をなしたものであつて選定者らが退職あるいは離職等失業の状態になつたことは一瞬といえどもなかつたのであるから退職金を支払うべき場合に当らないと主張するけれども、そもそも営業の譲渡がなされた場合においても、譲受人において譲渡人が従前雇傭していた労働者の引き継ぎを強制されるべきものではなく、また労働者も新しい企業者との間にまで労働関係を持続すべく義務づけられるものではないから、営業譲渡当事者がその合意により労働者の引き継ぎを具体的に協定し他方労働者もこれに同意するならば格別、従前の労働関係が当然に譲受人に移転するとはいいえないものと解すべきところ、本件においては、全証拠によるも右協定、同意のあつたことを認めえず、むしろ前認定の如く、新会社は従前の雇傭関係の承継を拒否し、ために選定者らは一旦被告会社から解職せられた上新会社に新規採用されたものであるのみならず、退職金の計算については勤続年数が関係すること大であるから、選定者らが失業状態になつたことがなかつたからといつて被告会社に退職金支払いの義務がないとはいえない。被告会社の右主張はとうてい採用できない」（十倉紙製品事件、大阪地判昭三四・七・二二労民集一〇・六・九九九）。

【6】「申請人等は、被申請人は岡山バスから営業を譲受けたのであるから、申請人等と岡山バスとの雇用関係は当然に被申請人に承継されたものであると主張する。およそ会社の合併の場合においては、消滅する会社の一切の権利義務は存続する会社に包括承継せられるものであるから、消滅会社とその従業員との間の雇用関係も当然に存続会社に承継せられるものと解されるが、営業譲渡の場合には、営業組織体即ち営業財産、得意先、営業の秘訣などが一個の債権契約で移転し得るも営業財産を構成する各債権債務については

個別的に権利の移転又は債務の引受を要するものと考えられるから、ひとり雇用関係についてのみ当然に承継すると解することはできない」(両備バス事件、岡山地判昭三〇・一・二九労民集六・一・三〇)。

なお、本件の控訴審【7】(注)においては、営業譲渡によつて雇用関係が承継されないとはつきり打ち出すことなく、和解協定の条項を引用して、雇用関係が営業譲渡により承継されないとの合意があつたと判示していることは注目すべきであろう。

【7】「第一、雇用関係の当然承継の有無

控訴人等は岡山バスがその営業を一体として被控訴会社に譲渡し、岡山バスと控訴人等との間に存する雇用関係も当然被控訴会社に移転したのであつて、殊に右営業譲渡はその実質において会社の合併と異らない程度の権利義務移転の緊密性を具有しているから、控訴人等において被控訴会社の従業員たる身分を当然取得した旨主張するけれども、かりに本件営業譲渡につき控訴人主張の如き雇用関係の当然承継の効果が伴うとしても、その効果を当事者の合意により排除することは何等妨げなく、したがつてその解雇も有効である。本件和解協定書第一項によれば「岡山バス組合は岡山バスが行つた解雇を承認し、岡山バスは組合員に対し、所定の退職金及び一ケ月分の解雇予告手当を支給する」とあり、控訴人等が右退職金および解雇予告手当を岡山バスから受取つたことは成立に争のない甲第十八、十九号証により疎明されるから、控訴人等は岡山バスの解雇を承認し、その雇用関係は営業譲渡によつては被控訴会社に当然承継されなかつたものと解するのを相当とする。したがつてこの点に関する控訴人の主張は、他の判断をするまでもなく失当であつて採用できない」(両備バス事件、広島高岡山支判昭三〇・六・二〇労民集六・三・三五九)。

(注

岡山バス株式会社と私鉄中国地方労働組合岡山バス支部との間に係属中の争議に関し、双方当事者は岡山県地方労働委員会の調停により両備バス株式会社の協力を得て三者円満なる和解に達し、左記諸条項を誠実に履行することにより本件争議を解決することを約する。

追つて本協定書に対する疑義の点に就いては一切岡山県地方労働委員会本件争議調停委員会委員長の意見に従うものとする。

記

一、組合は岡山バスが行つた解雇を承認し、岡山バスは組合員に対し所定の退職金及び一ケ月分の解雇予告手当を支給する。

二、両備バスは黒瀬左膳氏より提出される旧岡山バス従業員名簿によりその全員を雇用する。

　但し右雇用前個々面接を行う。

三、両備バスは組合員の本採用になる迄の身分を保証する。

四、両備バスは組合員が従来岡山バスで受けていた給与額を維持する。

五、組合員は両備バスに於て現に行われている就業規則其の他の諸慣行に従う。

六、本争議解決と同時に双方本争議に関する一切の提訴を取下げる。

七、本争議中に行われた行為に対しては双方共一切責任を追及しない。

八、両備バスは旧岡山バス従業員と両備バス従業員との両者間の差別待遇をしない。

以上

昭和二十九年九月三日

私鉄中国地方労働組合
執行委員長　S・K・
岡山バス支部執行委員長
H・H・
岡山バス株式会社
元社長　M・M・
両備バス株式会社
社長　S・M・
日本労働組合総評議会
立会人
議長　T・F・
岡山バス株式会社
立会人
元取締役　S・K・
岡山県地方労働委員会
岡山バス争議調停委員会
公益委員　A・K・
立会人
労働委員　I・N・
使用者委員会　N・T・

営業譲渡に伴い、労働契約がどのような影響をうけるかは、現行労働法に特別の規定がない以上、商法の解釈にその解決を求めなければならないが、従来労働契約の当然承継説が否定されてきたことからみて、営業譲渡の場合における労働者の地位を有利に取り扱うためには、やはり特別の立法措置を必要とすると考える。ただ営業譲渡が企業の物的および人的組織の一体性の承継であるから、営業譲渡の場合における労働契約の当然承継説も、商法の解釈上困難ではないとの説もあるが（西原「会社の解散と不当労働行為」労働法大系四巻八一頁）、この説をとつた場合にも、労働者の承諾（民六二五Ⅰ参照）を必要とするかどうか、営業譲渡者間の合意で労働者の全部又は一部の引継ぎを除外できるかどうかという点について解釈論が残されることになる。

三　営業譲渡と労働協約・就業規則関係

営業譲渡の場合に、労働協約・就業規則がどうなるかについては、判例はない。使用者が企業や経営を他に譲り渡した場合にも、協約は、経営の主体としての使用者との間に結ばれているのであるから、使用者が現実に甲であるか、乙であるかを問題にする余地なく、協約は承継されるという説（吾妻・労働協約一一一頁、池田「営業譲渡と労働契約」労働判例百選は、就業規則も、経営の主体が同一性を維持している限り失効しないとする）もあるが、譲渡行為は、個別的になされるのであるから、これには、賛成できない。一般に、労働協約や就業規則が「当然に」承継されると解するのは、無理ではなかろうか。

なお、営業譲渡ではないが、企業再建整備法に基いて、会社経理応急措置法により特別経理会社に指定された旧会社の第二会社として発足した会社が、旧会社の労働協約とか就業規則を承継するかどうかが問題となつたことがある。判例は、承継を認めないという立場をとつているが参考となるであろう。

【8】「企業再建整備法の目的とするところは戦時補償の打切等によつて企業が直接間接に蒙る影響を合理的且つ円滑に処理し経済界の不測の混乱を防止すると共にこれを機として過去の損失を一切整理し企業の急速なる再建整備を促進しもつて沈滞の淵にある我国産業全体の健全なる回復振興に資することにあるのであるからその法の目的に従つて設立された第二会社は従来の特別経理会社である旧会社とは、別個独立の会社であつてただ企業再建整備法第十条は同法其の他の関係法令に徴すれば特に同法の規定を以て特別経理株式会社が新勘定に所属する、資産の全部又は一部を出資する場合においてはその債権者を保護する必要上第二会社は指定時後特別経理株式会社の新勘定の負担となつた債務を承継せしめる旨法定したものに過ぎず之を以て旧会社の一切の権利義務を当然包括的に承継せしめた趣旨ではないから法令に基く外は明示又は黙示の意思表示に依つて始めて之を承継し得るものと解すべきである。従つて第二会社の承継と認めらるべき権利義務は法令に基く外は第二会社が自ら明示又は黙示の意思表示に依つて旧会社の将来継続する権利義務（本件に於ては雇傭関係）又は既に具体的に発生した債権債務等の権利義務承継に限られその他将来発生する権利義務の関係即ち労働協約とか就業規則等は当然これを承継したということはできない」（富士工業事件、東京地八王子支判昭二五・一二・一六労民集一・追一二七七）。

四　営業譲渡と不当労働行為

営業譲渡と不当労働行為との関係は、使用者が営業譲渡の自由をもつている以上、真に営業譲渡をする場合には、不当労働行為の成立の余地はない。

次の命令は、営業譲渡の不当労働行為性を否定したものである。

【9】「一、申立人組合は、会社は以前から組合を嫌悪しており今回の暴力事件、事業所閉鎖、全員解雇、

団交拒否、営業譲渡の一連の行為も組合員を排除し組合組織の壊滅を意図した不当労働行為であり、労働組合法第七条第一号乃至第三号に違反するものであると主張するのに対し会社は暴力事件は会社の関与しないところであり、また事業所閉鎖、全員解雇、営業譲渡は経営上やむを得ざる処置で不当労働行為でないと主張するのでこの点について判断する。

二、会社は九月三日事業所閉鎖した後、紙屋町タクシーに営業を譲渡して、さらに十一月五日より車の稼動を復活した事実が認められるが、この営業譲渡は真正に成立したものであり、また車の稼動も右営業譲渡に伴い譲受会社である紙屋町タクシーの計算において行なわれているもので、この事業所閉鎖から営業譲渡に至るまでの会社の一連の措置については申立人主張のような偽装のものであるとは認められない。

もともと会社は、前段認定のとおり経営は甚だしく不振を極め、月々の赤字も相当額に上り、N社長は昭和三十四年六月新資金の導入に失敗し、広島日野からの融資も極度に抑制されてきたのみならず却つて借入金の返済を迫られたため、八月末、遂に経営の自信を失い、広島日野のI常務取締役にその全権を委ねるに至つた。I常務取締役も、また数日にして会社の営業継続を断念し善後策を樹立せんとして一応事業所を閉鎖し全員解雇したことが認められ、申立人主張のように組合員を解雇し組合壊滅を図つた不当労働行為と認めることはできない」（大和交通事件、広島地労委昭三五・五・三一命集(3)棄一八二五）。

問題となるのは、偽装営業譲渡の場合である。使用者の真の意図は、労働組合活動を活潑に行なつた労働者を解雇することにあるが、その不当労働行為性をカバーするために、営業譲渡の形式をとる場合である。

一例をあげよう。F社においては、昭和三一年一月下旬に友禅労働組合F分会が結成されて以来、分会は、活潑な組合活動を行ない、同年四月の賃金交渉では、ストライキも行なわれ、さらに全員（一一名）の直接雇用を申し入れたところ、社長は、五名の解雇を申しわたし、行方をくらました。五月二九日になり、会社債権者Oが工場内の機械その他の動産類を差押え、社長から営業譲渡を受けたから出ていくように組合に申し入れた。その後六月一二日に更雀寺において経営者側O、M、組合側I、Tらがでて話し合い、その後組合は、Oが会社の営業一切を承継し、同人が個人で経営するという言葉を信じ、Iら六名の指名解雇とTら五名の残留を認める協定を締結した。しかし、社長は、六月二〇日頃会社に帰り、非組合員であつた者及び新規採用者数名とともに、会社の二階で仕事をはじめた。そこで、六月一二日に指名解雇された者が、社長は営業譲渡後も、同様の営業を行なつているからOと共謀の上で、詐欺的手段により偽装営業譲渡を行なつて、Iらの組合活動を封じ、もつて分会組織を破壊する目的で解雇したのであり、この解雇は不当労働行為であるとして救済を申し立てた。労働委員会は救済したが、この営業譲渡が偽装であるかどうかについて、次のように判断している。

【10】「一、次に会社がOに対し会社所有の工場及び設備機械器具、什器、備品等一切を譲渡し、それ以後Oが同人の個人営業として同工場を経営してきたとの点につきそれが偽装の譲渡であるか否かを考察する。

(一)　乙第一号証の契約書について

証人O、同Mの証言によつてその成立を認めることができる乙第一号証は、昭和三十一年六月四日社長とOとの間に締結されたもので、その契約内容は、

(1)　会社はOに対する債務の代償として会社の有している営業組織体、即ち工場及び設備機械器具、什器、備品など、並びに営業権を譲渡し完了したこと。

(2)　Oは会社から譲受けた工場その他の物件によりO単独で染色加工並びに販売業を営むこと。

(3)　Oは営業をなすにあたり、会社の仕事をしていた者の去就についてはすべてOにおいて適当なる処理を講ずるものとすること。

等となつており一応は会社の主張する如く会社所有の動不動産全部が代物弁済によりOに譲渡せられたような体裁をととのえてはいるが仔細に検討すると、

(イ)　同契約書第二条には明らかに営業権をも譲渡した旨記載してあるにかかわらずこの点についての会社主張は或いは譲渡したとし、終始一貫せず

(ロ)　同契約書第三条には「Oは会社から譲受けた工場その他の物件によりO単独で染色加工並びに販売等を営むこと」と明記してあるにかかわらず、証人Oはその証言において「自分は染加工については全くの素人でありその事業経営の意思はなく速かに代物弁済を受けた物件を売却処分して債券の回収を図る考えであつたが、更雀寺において協定の際立会人らから頻りに試みにでも営業をやつてみてくれと懇願勧誘せられてやむなく一ケ月間試みにやつてみる考えになつた」と供述し、

(ハ)　同契約書第四条の「Oは営業をなすにあたり元甲会社（被申立会社）の仕事をしていた者の去就についてはすべてOにおいて適当なる処理を講ずるものとする」旨の約定があり、右は会社従業員の雇用関係を如何に処理するかをOに一任する趣旨に解せられるにかかわらず証人O及び社長は右の「元甲会社の仕事をしていた者」とは会社工場の建物の一部に居住していた会社の従業員であるTほか二名の者を指称し、Oが譲受けた建物内に居住する右の者を右建物から立退かせる処置について右の約定をしたものである旨甚だしいこじつけとしかとれないような供述をし、

(ニ)　同契約書成立後の事業経営の状態について証人O及び社長はともにO個人が前記工場において染加工業を経営しているもので社長は一時他の工場で染加工を試みたが双方業績上らずその後社長が個人でOの事業応援のため従前の会社の得意先から注文を取りOに取次いでいるが如く供述していたが、当委員会の前記臨

検調査の結果に徴すれば会社は依然として会社としての営業を継続していること歴然たるものがあり、……、会社はＩら六名の解雇後旬日を出ずして事業を再開して今日に至っているのであり、

(ホ)　右臨検調査の結果に徴すればそれまでになされた会社側関係者の前項の点についての供述はすべて事実と合致せず、

(ヘ)　更雀寺において締結された前記協定（乙第九号証）にはその前文に「Ｏと組合間で今般の労働争議を妥結するため左の条項を取決めた」と記し、同協定書末尾には「富士染工株式会社譲受人」の肩書のあるＯの署名捺印があり、

(ト)　更に成立に争いのない分会からＯに対し差入れた確認書（乙第十号証）にはその前文に「今般の争議に関し作成せる別紙協定書の精神に則り、確認する」と記し、その本文第一項には「会社代表者Ｔに対し労働組合は今日までの権利要求の一切は今後申立てない」旨、第二項には「労働組合はＯに対し富士染工会社代表者Ｔとの行きがかり、既得権その他の要求の一切は申立てない」旨記しており、

以上の多数の不合理、矛盾、主張の曖昧、会社側関係者の供述のくいちがい等を総合勘案すれば会社とＯ間の譲渡契約（乙第一号証）なるものは全く偽装のものではないかを疑わざるを得ない」（富士染工事件、京都地労委昭三二・四・二六命集救(1)八四八）。

つぎの事案は、会社が組合対策として有限会社を設立し、組合活動家の雇用を承継しなかったことが不当労働行為と認められたものである。実質的には、偽装営業譲渡の変型である。

【11】「株式会社は組合を嫌悪するあまり、組合員を経営の主要部門から排除するために、有限会社の設立を企図して配置転換し、さらに有限会社が設立されるや、そのほとんど大部分を移し、組合員と非組合員を差別扱いして、組合員を故意に不利益な立場におとし入れたものである。かかる意図で行なわれた株式会社のM_1、M_2、D、Sらの組合員に対する前記の配置転換は、労働組合法第七条第一号に該当する不当労働行為

である。

また前記第三の二で認定したとおり、株式会社は存在意義を失い、その企業の実態は変ることなく同一性をもつて有限会社に承継されており、かかる場合、労働関係も当然包括的に承継さるべきものと解する。

しかるに有限会社が株式会社の意を体して組合を排除しようとして、本来承継すべき組合員四名を雇い入れなかつたことは団結権を侵害するもので、解雇を不当労働行為と認めた本制度の趣旨からみて、労働組合法第七条第一号に該当する不当労働行為である。

したがつて、株式会社が行つた組合員四名の配置転換は取消さるべきであり、有限会社は、同人等を雇入れて原職に復帰させるべきである」(小林商店事件、昭三五・五・四命集(2)一救一三九〇)。

三　会社の解散と労使関係

一　解散の自由

会社の解散は、企業財産権の処分の問題であり、これは企業経営が取締役にゆだねられている株式会社においては、株主総会の権限であるから、これによつて労使関係は影響を受けることはあるにしても、労使関係上問題を生ずる余地は、非常に少ない。すなわち、解散の自由が、まず現行法上の基本原則であるからである。

二　解散決議と不当労働行為

株式会社の解散決議(商四〇四2)が、不当労働行為の意思をもつてなされた場合、いいかえれば、労働組合の結成または活動に対抗するために解散決議がなされた場合、その決議は、有効であろうか。労働者に保障されている団結権との関係においてしばしば問題となるところである。

この問題についての判決はわかれている。第一は、解散決議を有効なりとするものであり、第二は、これを無効なりとするものである。

まず、第一のグループに属するものについて述べよう。この立場をとるものは、株式会社の解散は、株主の自由であり、労働組合のために存続させなければならない義務はないこと、不当労働行為制度は、企業の存続を前提として企業における労使の対等関係を維持することを目的としているから、企業そのものを消滅させる解散の場合には、不当労働行為の問題を論ずる余地のないことを根拠とし、会社が企業を真に廃止するのであれば、たとえ反組合的意思で行なわれても、企業の解散決議は有効であるとする。主な判決を次にかかげよう。

【12】「被申請人等は、本件の解散は、組合の結成を阻害しその運動に熱心であつた者を排除すべき意図の下に、為されたものであるから無効であると主張している。しかしながら株式会社を解散するか否かということと従つてその企業を廃止するか否かということは、株主の自由に委せられているところであつて、労働組合のために企業を存続させなければならぬという法律上の義務はないのであるから、株主が真に会社を解散せしむる意思の下に、その旨の決議を為すならば、これによつて会社解散の効力を生じ、たとえそれが組合結成の阻害のためであつたにせよ、このことの故に、是等の解散を無効とすべき理由はない。若し斯様に解さねば、株主総会が真に解散の決議を為すに拘らず、会社は労働組合のために企業を存続しなければならぬという拘束を受ける結果となり、会社法の理念と矛盾することになろう。それで会社が解散の決議によつて解散し、企業そのものを廃止してしまう場合には、これに伴う措置として、従業員の解雇が為されてもこれは会社清算のための当然の措置であり、従つてこの場合には、別段不当労働行為の問題を生ずる余地はな

いと解すべきである」(福岡小沢観光ホテル事件、福岡地判昭二七・五・二労民集三・二・一二五)。

【13】「会社の解散は法人格の消滅を目的とする行為であつて、通常これにより企業の廃止をみるに至るものであるが、会社の設立について自由設立主義を採り、憲法においても職業選択の自由を保障していることに鑑みるならば、会社にも企業廃止の自由が与えられているものというに妨げなく、従つて通常企業廃止を結果する解散が、その動機において労働組合の組織的な力を嫌忌するの余りなされたとするも、右解散自体を目して不当労働行為となすべきではない。

けだし、不当労働行為という制度は、企業の存続を前提とし、企業内における組合活動の自由を確保して企業における労使対等の原則を維持しようとするところにその趣旨があるところ、解散は通常企業そのものの消滅に従つて労使対立関係の基盤の消滅を結果するものであるからである。

債権者等は本件において、解散を議題とする株主総会の招集を採決した取締役会の決議を論難するのであるが、右のように労働組合の組織力を嫌忌するの余りなされた解散でさえ、解散自体は不当労働行為を構成しないものと解する以上取締役会の解散を株主総会に諮ろうとすることは仮りに債権者等所論のような動機からなされたとしても、それは決して不当労働行為とはいい難い」(朝日日産モーター事件、東京高決昭三八・三・二〇判タ一四四号一一六頁)。

【14】「問題は、従業員を解雇して労働組合を壊滅させる意図の下になされる解散決議の場合である。この場合には解散決議は企業廃止の自由の濫用となり憲法第二八条、労働組合法第七条第一号、第三号に該当し民法第九〇条によつて無効となるとする説がある。この見解によるときは、解散決議自体が不当労働行為となるのであるから、従業員はその効力を否定することにつき法律上の利益を有し、当該決議の無効確認を求める適格を有することとなるであろう。

しかし、この説は解散を即企業の廃止と独断する誤りを犯している。上に述べたとおり、解散は常に必然的に企業の廃止を伴うものではないからである。のみならず解散は元来直接には会社人格の消滅を目的とするものであつて、企業の廃止はたんにその結果たる事実にすぎない。（この意味において、企業の廃止という用語は必ずしも妥当ではなく、むしろ企業の消滅という語を用いるを適当とする。）このような会社人格の消滅による企業の消滅は、あたかも企業主たる自然人の死による企業の消滅に照応し、本来不可避的な結末と認めざるをえないものである。もとより、自然人の死が一の事実であるに反し、会社の解散が一の行為であることの差異はこれを認めざるをえない。しかし、人格の消滅はそれが一の事実によると一の行為によるとを問わず、元来法の干渉の外にあることがらであつて、これにより企業消滅の結果をきたすことは、いわばやむをえない必要悪としてこれを放任せざるをえないものである。

のみならず、企業主がその企業を廃止すること自体、職業選択の一環としてその自由が認められるものであり（憲法第二二条）、その自由は、その動機が従業員を解雇して労働組合を壊滅せしむるにあるからといつて制約さるべき根拠はない。もし、これを反対に解するときは、企業主が全く経営意欲を失つたにかかわらず企業の維持を強制されることとなり、かえつて個人の自由を束縛する結果となるであろう。それ故に、従業員を解雇して労働組合を壊滅させる意図でなされる企業の廃止を禁止し、企業主の意思に反してもなお企業の維持をはかつて従業員ないし労働組合を保護すべき必要があるとするときは企業経営者の交替をはかる等の措置を講じて企業の維持をはかるとともに、企業主を当該企業より解放する配意を示すべきを当然とし、法がこの点につき何らの措置を講じていないことは、法に企業廃止の自由を制限する意図のないことを示す根拠を提供するものというべきである。

そもそも、不当労働行為は企業の存在を前提としてはじめて問題となる事項であつて、企業の廃止ないし企業主の人格の消滅を目的とする行為は、不当労働行為以前の問題であると認むべきものである。このことは、不当労働行為の禁止が企業内における労働者の組合活動の自由を確保して企業における労使対等の原則を維持しようとするものであることからいつて当然のことである。それ故に、企業の廃止ないしこれに到達する前提として会社の解散がかりにその動機において不当労働行為意思を蔵するとしても、企業の廃止ないし会社の解散自体については不当労働行為の問題を生ずる余地はないものといわなければならない。ただ、この場合注意しなければならないことは、会社の解散を理由とする従業員の解雇が不当労働行為になるかどうかは、解散の効力とは関係がないということである。

会社が真実企業を廃止する意思がないにかかわらず、従業員を解雇して労働組合を消滅させるため解散を偽装し、これに藉口して従業員を解雇した場合には、その解雇は疑もなく不当労働行為を構成する。かりに、この場合の解散が偽装でなくとも、不当労働行為意思をもつて清算終了前に従業員を解雇した場合には、なお、その解雇につき不当労働行為の成立を肯定すべき余地がないことはないであろう。しかし、それはいずれも解雇の効力の問題であつて、解散自体の効力の問題ではない」（三協紙器製作所事件、東京地決昭三六・一一・一七労民集一二・六・九九八）。

さらに労働者側が、右の判決に対して、この判決の取消と本案判決の確定に至るまでの清算人の職務の執行の停止を求めた事件において、東京高等裁判所は、次の如く判示している。

【15】「按ずるに会社解散の決議があつても、当然これにより従業員の離職を来たすわけではないけれども、あらためて会社を継続する旨の株主総会の決議などがなされない限り、解散後はいずれも従業員を解雇することになるのが通常のなりゆきであろう。そして抗告人らの主張によれば、清算が着々進行していると言うのであるから、相手方株式会社三協紙器製作所の本件解散決議は従業員を解雇するため解散を仮装し、解雇後解散することをやめて再び会社の継続をはかろうと言うのではなく、右会社は真実解散するものであるが、その動機が抗告人ら従業員の結成している労働組合を嫌悪しこれを潰滅させる意図から発したものであると言うことは、本件抗告理由に照らし明らかである。

ところで、会社解散の決議は会社とすべての人の間の法律関係を絶止して会社を消滅させることを目的とする会社内部の意思決定であるから、解散決議の動機が労働組合を潰滅させる意図により為したとしても、対労働組合乃至労働組合員との法律関係の絶止だけを目的とすることは許されず、すべての面において法律関係を終了させ、会社自体の消滅に向わなければならないものである。然るに不当労働行為の制度は企業内における労働者の組合活動の自由を確保して企業における労使対等の原則を維持しようとするものであるから、企業の存在を前提としてはじめて不当労働行為を問題となし得るものである。かかる観点からみれば、本件解散決議は虚偽、仮装のものであることは明らかにされておらず従つて会社それ自体の消滅を目的とするものと解すべきであるから、不当労働行為の問題を生ずる余地はないものと解すべく労働組合法第七条違反の主張はこの点において既に失当たるを免れない。

抗告人らは更に憲法第二八条（勤労者の団結権）違反をも言うけれども、憲法は同時に第二二条において職業選択の自由を規定しているのであつて、企業の廃止（従つてこれを目的とする会社解散の決議）は職業選択の自由の一種と認められなければならない。そしてこの自由はその動機が労働組合を潰滅させる意図であるにせよ制限されるべき根拠がないことは、原判決の説示する通りであるから、……抗告人らの憲法第二八条違反の主張も又採用できない」（三協紙器製作所事件、東京高判昭三七・一二・四判タ一四一号五四頁）。

つぎに、使用者が経営意欲を喪失した場合には、企業の解散を自由にできると述べた判例としては、次のものがある。

【16】「三、被控訴人等は、控訴会社の解散は全組合員を解雇して組合を壊滅することを目的としてなされた偽装の解散であると主張する。……（原審および当審における被控訴人ら）の供述を綜合するとつぎの事実を認めることができる。

(1)　控訴会社社長Oは右労働組合結成の動きを察知するや、その結成の直前である昭和三三年一二月四日同会社の朝礼会において従業員に向つて「君等が組合を結成するのなら直ちに工場を閉める」と言明した。

(2)　昭和三四年四月五日春季闘争の際控訴会社と組合の団体交渉の席上において、O社長は「言うことをきかないのなら工場を閉鎖する。」と言明した。

(3) 昭和三四年六月二日夏季闘争の際、控訴会社と組合の団体交渉の席上においてO社長は「これで気に入らんのなら他へ行つてくれ、わしもこれ以上工場を経営する気はないからビールでも飲んでさよならや、螢の光でも歌うてな」「君等は職安にでも行くか」と放言した。

(4) 控訴会社工場長K、工場長代理T等を含む非組合員等全員が本件組合員等に対する解雇通告のなされる直前の昭和三五年一月四日、城崎温泉に赴き、同地の旅館に一泊した。

しかして右認定に対する証拠はなく、これらの事実に徴すると控訴会社社長Oは、組合の存在ならびに組合活動をかなり嫌つており、組合への対抗手段として屢々事業場閉鎖をほのめかしていたのであるから、前記のようにO社長主導のもとになされた事業廃止ならびに解散の方針決定は前記のOの発言と符節を合するごとくである。しかしながら、前記非組合の職制等が退職を申出たことにつき、同人等と会社側間に何等かの意志の連絡があつたことを肯認するに足る資料はない。この点につき、被控訴人等援用……の供述にはそれぞれ非組合員等が組合をつぶすことを目的として、会社側と意思を通じて退職申出をなしたものである旨、あるいは、そのことを疑わしめるような事実のあつた旨の記載もしくは供述部分があるが、いずれも、未だ臆測の域を出でないもので直ちに措信しがたい。むしろ……控訴会社解散の経緯からみると、本件解雇は、控訴会社社長Oが組合結成以後社内における組合員と非組合員間の深刻なあつれき、職場秩序の乱れ、それに基因する生産能率の低下のため次第に経営意欲を失いつつあつたところ昭和三四年末から翌年の初頭にかけて控訴会社工場における指導的地位にある技術優秀な役職員全員等が退職申出をなす事態に遭い、もはや工場操業継続が殆んど不可能なのを見て取つて、全く経営意欲と自信を喪失した結果、控訴会社の事業廃止、解散の方針を決定し、それを前提としてなされた解雇とみるのが相当であつて、被控訴人主張のような組合員全員を解雇して組合壊滅する意図を決定的原因とした解散にもとづくものではないというべきである。しかして、前認定の解散後の清算手続の進行にかんがみても、右解散を偽装のものとみる余地はなく、……本件各解雇は不当労働行為に該らないというほかはない。

四、被控訴人等は仮にO社長が真に経営意欲を喪失し、企業廃止をのぞんでいるにしても、企業廃止の自由は絶対的なものではないから、労働者である控訴人等の迷惑をかえりみず企業の廃止をなすことは許されない旨主張しているが前認定によつて明らかなとおり控訴会社の本件企業廃止が経営意欲を喪失した結果によるものである以上、それが法律上許されないとするいわれはないから被控訴人等の右主張は採用することができない」（小畑鉄工所事件、大阪高判昭三七・六・七労民集一三・三・六九七）。

労働委員会において、会社の解散による労働者の解雇について不当労働行為は成立しないと判断したものには次のものがある。

【17】「(1)　会社の解散と組合員全員の解雇

申立人等組合は、会社の解散は擬装解散で、その解散を理由とする従業員全員の解雇は、会社が支部組合の存在及びその組合活動を嫌忌し、支部組合の壊滅を企図した、労働組合法第七条三号に該当する不当労働行為であると主張し、その理由として

(イ)　会社と日本精工との加工請負契約は、製品の納期は確守され、不良品の特別採用率は低く、製品の精度も正確であり契約を解除される原因がない。

(ロ)　会社は、会社の経理状態が所謂赤字の累積で、企業の維持が不可能であるというが、事実上相当の利益がある。

(ハ)　日本精工からの会社に対する発注中止と貸与機械引上げの通告は、解散と解雇とを理由づけるための、会社と日本精工との通謀による虚偽の行為と主張する。

しかし上記認定のように、会社の日本精工に対する契約履行の状態は、会社設立後の短期間内における、

支部組合の同盟罷業、残業拒否等の争議行為の頻発が一原因を為して、工程は予定通りに進行せず、生産量は低下し、納期は遅延し、製品精度の不調率が高度で、検収率は低位となり、特別採用率が相当高いため、註文者たる日本精工としては、契約を解除せざるを得なかつたことが肯認される。

一方会社としては、その設立の動機、目的が、日本精工の専属下請工場である限り、親工場との取引が停止されれば、直ちに他に転換することは著しく困難であること、その資産状態も払込資本金は僅かに一〇〇万円であり、工場建物、機械設備等一切は、日本精工又は村田鉄工所から賃借したもので、累積した欠損金約三〇〇万円を負担して企業を維持することは極めて困難であり、解散に立至つたことは当然の結果と認められる。

更に会社が、建物の賃貸人たる村田鉄工所の諒解の下に、これを件外Ｉに賃貸し、同人の事業たる板金工業に、全従業員の雇用を承継せしめようとしたことは、解散による作業所の閉鎖、これにより招来さるる全従業員の離職等を防止しようとしたものと認められる。

申立人等組合の疎明方法によつては、その主張するような擬装解散及びこれによる不当解雇の事実を肯認することができない。

従つて、会社が昭和三十六年十二月十五日、支部組合員を含む全従業員を解雇したことは、首肯しうべき正当な原因により、合法的手続を以つて為されたもので、これに反する申立人等組合の主張は失当である」
（武蔵精工事件、埼玉地労委昭三七・九・一命集(2)一教一七四八）。

これに反して、第二のグループは、労働組合法に違反して、反組合的意図をもつて行なう解散決議は、企業廃止の自由の濫用であると同時に、公序良俗に違反し無効であるとする。

この立場をとるものとしては、有名な太田鉄工所事件がある。

この事件の事実関係は、次のとおりである。株式会社太田鉄工所は、O社長の独裁する所有経営の分割されない個人会社であり、従業員一四名の町工場である。労働条件は低く、昭和三一年七月上旬労働組合が結成された。Sが執行委員長になつたところ、会社は、七月三一日Sに対して臨時工としての雇用期間が満了したことを理由として解雇を通告した。組合は、その撤回を要求して、団交をもつたが、結局大阪地労委に斡旋を申請した。会社は、Sを八月一五日付再雇用すること、可及的速かに就業規則を判定することなどの斡旋等を受諾したが、組合側は紛争中の不就労時間に対する賃金の四割控除条項について団交を望み、地労委への回答を翌一五日まで猶予することを求めたが、一五日の団交は決裂し、組合側の地労委に対する回答はなされなかつた。ところが、会社は、一五日夜急遽臨時株主総会を開き、会社の解散を決議し、解散を理由とする従業員の全員解雇を決め、翌一六日夕方その通告がなされた。これに対して、被解雇者は、この解散は、正当な組合活動を理由に組合を壊滅させるためになされたものであると訴えた。

【18】「町工場式小企業の会社を独裁するO社長及びその一族は労働組合の活動に対する理解を欠いていたばかりか、小企業にとり組合は有害無益な存在と観念し、むしろ組合の結成並びに組合活動の活発化につれて益々組合を嫌悪する念強く愈々反組合的意図を牢固として抱懐していたことが窺われると同時に会社が被申請人の主張するように解散当時経営不振の状態にあつたものとは到底認められない。

もつとも……各機械は会社及びO社長個人の資産を担保にする等して銀行又は信用金庫からの借入金を以て購入し夏期手当も一部機械の売却代金を以て支払に充てた事実を認めるに足るが、右事実を以てしてはいまだ前記認定を覆すに足りない。

更に本件会社のようないわゆる中小企業の経営が決して容易でないこと、他方中小企業における労働組合が結成匆々往々にしてその企業の実態を無視しその有する経済的能力以上の労働条件を一期に要求獲得しようとする傾向のあることは否定すべくもないとはいえ、本件においてはいまだ会社の能力の堪えない程の組合要求又は企業意欲の喪失を首肯せしめるに足る程の激烈違法な争議行為があつたものとは到底認めることができない。組合の前記のような争議態勢を目して会社に対する非協力的行動として批難することの当を得ていないことは勿論であつて、組合のかかる争議態勢による作業能率の多少の低下が会社の正常な業務運営を著しく阻害したとも思われない。会社側が前記のように従業員の仕事を減少させた作為的行動は組合のかかる争議態勢に対する対抗策としかみられない。従つて、会社は、企業内に組合さえ存在しなければ、当時かかる行動にも出なかつたであろうし、企業を維持存続させて行く意思を十分に持合わせていたであろう。

然るに、会社は組合のかかる争議態勢下僅か数日にして解散決議をなしたものであつて、その間受注品を工場外に搬出して会社の仕事の作為的減少をはかり資金的準備をなす一方、他方病と称してO社長の出席しないところでは、事業継続を前提とする地労委のあつ旋案を受諾し、同あつ旋案の一条項をめぐつて組合と団交をもち、妥結への努力を続けているかにみえた。紛議のきつかけとなつた静の解雇問題に関する限りすでに解決をみていたのである。然るに会社は右あつ旋案受諾の翌日、しかも右団交の直後、一夜の中に卒然として解散決議を強行するに至つた。

以上認定の各事実と会社が前記の如くO社長の独裁するところの企業の所有経営の分離されない個人会社であつて、経営順調にして企業能力を有していること等を綜合すると、O社長の主導の下になされた右解散決議は事業不振又は組合の業務阻害のため将来会社を維持運営してゆく意欲を喪失した結果によるよりは、むしろ企業の所有並びに経営者において組合を極度に嫌悪し申請人等全従業員を解雇して組合を壊滅する意図の下になされたものと認めざるを得ない。そして、かかる意図を決定的原因としてなされた右解散決議は、その意図する解雇による組合壊滅と表裏一体をなすものである。

ところで、企業は資本と労働力を包摂し、労働力を離れては存立し得ないものであるから、企業の廃止は資本の解体のみならず、その労働力の処分を必然的に伴うのであるが、かかる労働力の担い手としての労働者にとつては、その企業が自己並びに家族の社会生活を可能ならしめる母胎であり、その労働者としての地位向上のためには、労働組合を組織し団結の力によつて使用者と対等の立場で交渉し団体行動に訴えるところのいわゆる団結権が憲法、労組法において保障せられている。労働者の自覚の下に組織された労働組合の健全な発展を保護することは、現在の社会的経済的秩序の要請といわなければならない。従つて、企業主体の有する企業廃止の自由（憲法第二十二条の職業選択の自由、商法第四百四条第二号）と雖も、今日においては絶対無制約のものではなく、かかる社会的秩序の要請する制約に当然服さなければならない。企業廃止の自由は濫用されてはならないのである（憲法第十二条、民法第一条第三項）。殊に企業別組合の形態のもとにおいては会社の解散は従業員の解雇並びに組合の解体消滅を伴うから企業能力を有する会社が、労働組合の合法的組織活動を弾圧し全組合員を解雇することによつてこれを壊滅させることを決定的原因として企業を廃止することは、すでに企業廃止の自由の濫用として許されないところであり、現在の社会的秩序に著しく背反するものといわなければならない。このようなわけで、本件解散決議は憲法第二十八条、労組法第七条第一号、第三号に違反し、従つて企業廃止の自由の濫用であると同時に公序良俗に違反するものとして無効であるといわなければならない」（太田鉄工所事件、大阪地判昭三一・一二・一労民集七・六・九八六）。

以上二つの見解の対立があるにしても、第一の見解に賛意を表するものが多く、第二の見解を支持するものはほとんどない。資本制社会においては、企業の処分権は、企業者の判断にまかせられているのであるから、団結権の保障から、会社の決議をチェックするという考え方は何もでてこないし、労働組合の破壊を目的とする解散決議というとらえ方にも問題があるから、当然であろう（石井・前掲書二〇四、二〇五頁参照）。

三　解散決議と労働委員会の救済命令

使用者は、会社の解散する直前に、不当労働行為の意思をもつて労働者をよく解雇するが、労働委員会は、このような場合、会社の解散が組合活動の抑圧という不当労働行為の意思をもつて行なわれたとしても、第一には、会社が解散した以上やむをえないものと認め、したがつて労働者に対する解雇の意思表示の日から解散の日までのバックペイの支払を使用者に命じて労働者の権利の救済をしようという立場をとつている。

つぎに、労働委員会の命令をかかげることとする。

【19】　使用者は、七月五日のストライキ以来、七月七日の取締役会において会社解散の方針をきめ、七月一三日に内容証明郵便で支部組合その全員に事業場閉鎖会社解散による解雇通知を出し到達の日をもつて解雇した。Aほか四名には、七月一五日、Bには七月一六日、Cには七月一八日到着した。

使用者は、七月二一日臨時株主総会を開いて会社解散の件を付議し、出席株主全員一致のうえ会社解散を決議した。

これに対してAらは、この解雇を不当労働行為であるとして解雇の撤回と、撤回後のバックペイを求める救済申立をした。

これに対して、地労委は、これらの労働者の解雇が不当労働行為であると認めつつも、会社が解散し、清算手続にあるので、Aらの解雇の日から、会社の解散の日までバックペイの支払を認めた。

「組合側は本件ストの効果を挙げるため倶楽部で主要行事の一つとして理事長杯獲得トーナメントの行われる七月五日を選んでストを決行したのであるが、これがため倶楽部の行事に多大の支障を来したことは認められるが、これをもつて直ちに正当な組合活動を逸脱したものであると速断すべきでなく、むしろTがこのストを機に、対組合間の紛争が更に惹起複雑化することを危惧し、倶楽部の事業自体の性質に鑑みこれ以上迷惑をかけるに忍びず、経営も赤字指向増大の傾向にあると藉口して事業場閉鎖、従業員解雇、会社解散の一連の線を打出したのに外ならない。

このことは、支部組合員個々に対しTから発せられた七月十三日付解雇通告に、会社解散をするに至つた事情として、組合側の行動は倶楽部主催の競技の妨害に等しい行動であると難じ「娯楽施設としてのゴルフ場の付随営業である食堂経営に従事するものとしてのイデオロギー的支配、労務提供の状態はこれにより受ける会員各位の精神的焦燥の嫌悪は現在の実力行動を以て最高に到達したものと確認すべきである事」、「会社は今後更に悪化の経過を辿るであらう会社対組合の関係を清算して倶楽部側より嘱望された食堂経営の請負契約を無条件にて返上し……全従業員と共に会社は七月十日を期して解散する」意思を組合側に対して明らかにし、更に七月二十一日開かれたTの臨時株主総会の議事録にも「対組合との問題は今後共更に惹起すると思われ、社団法人東京ゴルフ倶楽部にこれ以上の迷惑は忍びない……」云々との記載はあるが、T主張のごとき赤字累積又は経営困難のため解散するとの趣旨は全然表示されておらず、このことは明らかに中立人らの活発な組合活動の推進を怖れ且つ嫌悪したことが会社解散、支部組合員の解雇の決定的要因となつたものと判断され、経営上の赤字累積の傾向、言い換えれば経営不振が会社解散の主原因であるとのTの主張は単なる口実に過ぎないものと認められる。

従つて支部組合員Iら七名に対するTの解雇は正当なる組合活動を活発にしたことを嫌つてなされたものに外ならず、Tのこのような行為は労働組合法第七条第一号に規定する不当労働行為に当然該当するから申立人らの、この点に関する申立は理由があるが、これに基づく救済さるべき範囲について考えるに、前記認定した事実に徴し主文掲記の範囲で認容すべきである」（東京ゴルフ食堂事件、埼玉地労委昭三五・七・七命集(2)一教一四二二）。

また、これも同様の事件である。昭和三七年一月十一日に労働組合は結成されたが、使用者はこれを嫌悪し、同月二十一日に全員を解雇し二月十日に会社の解散決議が行なわれ、清算中である。解雇された従業員は、この解雇を不当労働行為であると主張して争つたが、地労委は、使用者の解雇を不当労働行為であると認めつつも、会社に解散後における事業再開の事実及び意図のないことを理由として解雇の日から解散の日にいたるバックペイの支払のみを認めた。

【20】「被申立人会社は、今回の解雇は経営する映画事業の不振によるもので申立人組合及びその組合活動を嫌悪したものではないと主張するので、この点についてみるに、被申立人会社社長Kは前記認定のように支部結成前に直接従業員に対し、労働組合を作らないよう要請し、支配人Fに従業員を指導するよう指示した事実、支部結成の通告を受けるや、すでに双方話合いによつて解決済である支部執行委員長K、同執行委員Aの両名に対し、再び解雇を通告している事実、支部の要求する労働条件に関する団体交渉において、その了解事項についての調印をことさらに延引せしめ、その間K社長自ら又はF支配人を通じ、或いは他人を介し、組合員の支部よりの脱退を慫慂した事実等、これら一連の行為よりして、被申立人会社社長Kが労働組合を嫌悪していることは容易に推認できることであつて、被申立人のこれに反する主張については、これを是認することはできない。

被申立人会社の主張する経営の不振については、一応是認できるとしても、被申立人の疎明によれば本企業が経営主を数次にわたつて交代しているが、いずれの場合においても経営は不振であり、その不振の程度も概ね一定している点よりみても、今回急に事業を中止するのやむなきに至つた必然性については、その疎明に乏しく、今回の映画事業の休止、並びに解雇という一連の措置は、支部の結成直後であり、労働条件についての団体交渉中であつたという点等よりみて、被申立人会社、K社長は経営不振に藉口し、組合の壊滅を企図してかかる手段に訴えたものと推認するほかはない。

従つて被申立人会社のおこなつた組合員九名に対する解雇は労働組合法第七条第一号の違反の不当労働行為に該当するものである」（三刀屋劇場事件、島根地労委昭三七・四・三命集(2)一救六七九）。

なお、つぎの命令も同趣旨のものである。

【21】「二、本件解雇と不当労働行為

会社は一方に於ては債権者に対して和議成立による会社再建と、第二会社設立による事業継続を通知して了解を求め他方に於ては組合員に対し、未だ破産宣告の決定がないにもかかわらず、〝破産が決定した〟として組合員を解雇し、債権者らに対しては会社再建のための解雇であると自ら唱えている。

なるほど会社は放慢な計理のため債務超過を来し、経営の継続は極度に困難に陥つたことは認められるが、一方では会社再建を唱えながら、他方では第二会社の発足によつて会社の従来の営業を継続し、而も破産申立に名をかりて組合員を解雇したことは、組合脱退者のみは第二会社に転職させた事実と相俟つて、組合員に対する解雇は組合を嫌い、これが排斥壊滅を意図したものであつて、労働組合法第七条第一号に該当する不当労働行為であると断定する。

三、被申立人らの責任の限界と救済の程度について

会社の組合員K外五名に対する解雇及び言動が夫々不当労働行為に該当することは上記のとおりであるが、本件審査中会社に対し破産宣告がなされたという特殊事情があるのでその責任の限界について判断する。

破産管財人は、昭和三十七年三月十九日附をもつて、単純に破産会社の本件不当労働行為審査手続を受継

する旨の申立をしたが、破産管財人の受継の範囲は、その権限の制約の当然の結果として、破産財団に属する財産に関する事項の限度に於て許容さるべきである。

（破産法第七十一条第二項　同第六十九条）

従つて破産財団に属する財産に関する事項以外は破産会社の代表取締役において、尚本件審査手続きを遂行すべき権利と義務とを保有するものと解する。

よつて、被申立人両者の本件審査手続遂行の権限を考覆すると、申立に係る救済の内容中

(イ) 解雇取消と原職復帰

(ロ) 支配介入行為の禁止とその原状回復

に関しては破産会社の取締役に於て依然手続遂行の権利と義務があり

(ハ) 解雇取消を前提とする所謂バックペイ

に関しては、結局破産宣告前の原因に基いて生じた財産上の請求権であるから、破産債権であり、破産管財人において受継すべき事項である。

本件解雇が不当労働行為に該当する以上、その解雇を取消し、夫々原職に復帰さすべきであるが、叙上の如く会社に破産の宣告があり、昭和三十七年三月十六日第一回の債権者集会において破産法第一九四条により営業廃止の決議がなされた以上、原職復帰を命ずることができない。

更に破産管財人は民法第六三一条、同第六二七条、労働基準法第二十条により上記六名に対して雇傭契約の解約申入れを為したことの主張及び疎明をしないが、既に破産法上有効に営業の廃止決議をしたことが明らかな以上、上記六名に対するバックペイは申立人らが救済を求める昭和三十六年九月一日から営業廃止決議の日まで、これを命ずることが妥当と思料せられる」（地引農機事件、埼玉地労委昭三七・七・二六命集(2)一救一七二四）。

労働委員会の行なう救済の第二の方法は、「被申立人は、その事業を再開したときは、A、B、C

……を解雇当時と同等の労働条件で復職させせなければならない。」という命令にみられる。
つぎの命令がそれである。

【22】「一、被申立人は、今回の解雇は経営の見通しが悪いための解散によるものであるとして、その理由をつぎのとおり主張する。

昭和三十五年五月から同年八月までの会社の実績を基礎として、第二期（自昭和三十五年五月至昭和三十六年四月）の年間損益を推計すれば、年間損失は六五万円になり、これは資本金の四三％にあたり、しかも人件費は漸増の傾向にある。また、この推計された年間損益分岐点を計算すれば、年間一、〇〇六万二千円、月平均八三万九千円となるが、五月から八月までの生産実績は月平均六五万円にすぎない。そのうえおもなる受注先は鉄道保安と熊平製作所であるが、鉄道保安からの機械信号設備の補足的部品は、国鉄が機械信号設備を電気信号設備に改良しているため、その注文は必然的に減少の傾向にあり、熊平製作所の金庫部品の注文も争議により生産が中絶したため、他社へ注文替えされ、その信用も極度に失墜して今後の受注の見通しは全く立たなくなり、従つて経営が成り立つための生産高を確保することができない。

さらに、S工場長およびO職長が辞職するにいたつて、工場運営の中核を失ない、適当な後任者が見当らないため企業の継続は全く不可能となつた。なお、元来企業は従業員の労働条件については社会的水準に達しないまでも、相当の改善をなし、厚生福利の面においてもある程度充実しうるようでなければならないのであるが、当社はとうていその見込みもなく、これ以上経営を持続して株主ならびに従業員に多大の損失を与えることは、全く社会的存在価値のないことで企業者としては赦さるべきではない。

被申立人は以上のとおり主張するが、元来鉄道保安広島工場を分離して大和機工として独立させたのは、同工場の赤字経営を合理化することを目的としたものであるが、会社創立第一期において、利益一二万四千二一円をあげており、第二期においては、従来無償で鉄道保安から受けていた事務援助に対しても新たにその経費を負担し、別に事務職員一名を採用し、また土地、建物の賃借料も大幅に増額しており、前記会社創立の目的は漸次達成の方向に向かつていたものと認められる。

会社の受注量および生産高についてみるに、被申立人も認めているように、ほぼ予定した受注量も確保され、解散前の五月から八月までの四カ月間の生産高の実績は、会社創立以来最高のものであり、受注量、生産高ともに順調なる推移をたどつていることが認められる。従つて、かかる状態のもとにおいては、被申立人の主張する第二期の損益の推計および損益分岐点の算定については多くの問題がありそのまま措信することはできない。また、会社は昭和三十六年五月には三倍増資をなし、その全額一〇〇万円を鉄道保安が出資して、鉄道保安から借用していた機械設備を買い受けている。つぎに、争議により多少の信用の失墜は認められるが、受注の大半を占める鉄道保安とは前記認定のような特殊関係をもつものであり、熊平製作所関係もストによる一時的なものであつていずれもその回復は必ずしも不可能なものとは認められない。工場長SおよびO職長の辞職については、当人らの証言によつてみても明らかなように、九月二十日頃争議の責任を感じて社長に身がらを一任するという程度のものにすぎず、即刻辞職するという固いものではなかつたことが認められる。

上記のような次第であつて、このように上昇線をたどつていた会社が、その経営が成り立たないことを理由に解散して全員を解雇することはとうてい首肯しえないところであり、会社の今次解散による解雇は単に経営上の理由によるものとは認められない。

二、組合結成前八月三日にS、Oを含めた全従業員の集会であるいわゆる常会において、(イ)日給五〇円の賃上げ　(ロ)定期昇給額の倍増　(ハ)水道蛇口とひさしの設置　(ニ)海水浴を催すことの四項目の要望が従業員から出された。これに対して下郷は(ハ)と(ニ)については要望どおり実施し、(イ)および(ロ)については了承したが即答できないので一応社長と相談することとなつていたものである。そして、八月十八日会社従業員一二名が組合に加盟し、組合は同月二十日一〇〇円の賃上げを要求したが、九月六日にようやく一〇円の回答がなされたにすぎなかつた。S、Oは従業員の組合加盟後、組合員に対しいろいろ組合を誹謗し、組合から脱退することを慫慂している事実が認められ、また八月二十一日には従来実施していた残業を突如打ち切つているが、従来の作業量が減少しておらず単に会社の主張する従業員の健康保持が理由とは考えられない。さらに八月二十二日会社の寮に預けていたM_1、S_1の荷物を出すことを強要し七月から支給されていた下宿代補助を八月分から打ち切り、M_2に対する定期代も同様に打ち切られたことが認められる。これらのことは特別の理由があつたものではなく、組合を嫌悪し、従業員が組合に加盟したことに基づくものと認めざるを得ない。

以上のとおり、会社がなした今回の解雇は経営上の理由によるものではなく、会社の組合員に対する言動ならびに会社の解散が従業員の組合加盟に近接した時期に決定されたことなど総合勘案すれば、組合加盟およびその活動を理由としたもので、労働組合法第七条第一号に違反する不当労働行為であると判断せざるを得ない。

三、しかして、会社はすでに前記認定のように清算手続を進めておるものであるから、組合の主張するように解散が単に経営上の理由によるものではなく、またOがM_3に対し偽装解散である旨の発言をしたことが事実であるとしても、これらのことのみをもつてしては偽装解散であると断定することはできない。かく、会社の解散が真の解散であつて偽装解散と認定できない以上、たとえ上記のように解雇が組合への加盟およびその活動に基づくものであつても、労働委員会としては清算中のこの会社に対し、事業を再開して被解雇者を原職に復帰させることを命ずるような内容の救済命令を発することはできない。

しかしながら、一方において本件の解雇が組合への加盟およびその活動に基づくものであることが明らかであり、かつ、他方において会社と鉄道保安との間には前記の如き特殊関係があることまた工場が解散当時とほとんど変わっていない状態で現存していることなどの特別な事情のある本件については、主文のとおり命令することが最も適当であると思料する。

なお、本件解雇が明らかに不当労働行為である以上、解雇から解散までの給与は本来支給されるべきものであるが、本件においては上記のとおり九月七日以降組合は無期限ストに突入しているものであるからその間の賃金支給を命ずることはできない」（大和紙工事件、広島地労委昭二六・六・七命集(2)一救一五三三）。

四　会社の解散と労使関係の承継

会社の解散について問題となるのは、労働組合活動を理由として労働者の解雇を行なつた会社が解散した場合に、被解雇者のその救済を、実質上その企業を承継したとみられる使用者を相手どつて申し立てることができるかどうかである。これについては、判例は、新旧経営者の同一性について実質的に判断を加えようという態度をとつているが、正当である。

【23】「債権者等は次で会社解散によつて企業の廃止を伴わず、企業そのものが同一性を保ちながら新企業主に承継されるときは、解散会社とその従業員との労働関係は解散会社より新企業主に当然承継されることを前提とし、福山運送が仮に存在し、これが解散したとしても、旧営業所の企業の実体と右解散後債務者会社が開設した新営業所の企業の実体とは全く同一性を保つているところからみれば、福山運送の企業そのものはその解散後債務者会社に承継されたものであつて、福山運送と債権者等の労働関係は当然債務者会社に承継された旨主張するので以下検討するのに、企業というものは資本と労働力の結合による動的な組織とみるべきであり、従つて労働関係は特定の経営者に対するというよりも、寧ろ企業そのものに結合したものというべきであるから、例えば合資会社から株式会社に組織変更があり、或は株式会社から個人企業に切替えがなされたとしても、企業そのものが廃止されることなく同一性を存続する限り、労働関係は新たな経営者

に承継されると解すべきである。この理由は会社が解散した場合、解散によつて企業を廃止することなく、新たな経営者がこれを承継して経営を続ける場合には、単に企業の所有者乃至経営者が交替をしたというに止り、企業そのものは実質的には同一性を失うことなく、終始存続しているとみることができるから、労働関係は解散会社から新な経営者に承継されるものと解せられる」（福山運送事件、神戸地判昭三五・八・一九労民集一一・四・八四三）。

【24】「第二、認定した事実及び法律上の根拠

一、被申立人を会社とする申立について

被申立人会社については、すでに解散登記がなされ、関係庁に対する廃業の手続も行われ、また、個人営業の認可がなされていることなどから考えれば、商法による会社解散決議無効確認の訴のなされていない現在、当委員会としては、一応会社解散の有効を前提として本件を取扱うほかはない。然るに、企業及び労働関係の実体は次段に述べるように、新経営者らに引継がれているものと認むべきであるから、会社（会社清算人）に対して不当労働行為による救済を求めても、それを実現することは不可能である。よつて、その余のことを判断するまでもなく、本申立は棄却を免れない。

二、被申立人を国際ホテル及びニューハカタホテル経営者Y_1、福岡ホテル経営者Tとする申立について、

(1)　企業そのものの実体が変ることなく、企業がその同一性を失わないで、単に経営名義人ないしその主体の交替にとどまるものと認められる場合には、労働者が使用者に対するというよりも、むしろ企業そのものに対して労務に服しているものと考えられるものであるから、労働関係は労働者に特に就業拒否の意思なき限り、新たな経営者に承継せられるものと解すべきである。これを本件について見るに、

(イ)　会社は、大和商事の社長であるYを事実上の実権者として、その近親者のみをもつて設立せられた、いわゆる同族会社であつて、福岡市で国際ホテル、ニューハカタホテル、大和ホテル及び福岡ホテルを経営していたものであり、実際には国際ホテルとニューハカタホテルをY_1、福岡ホテルをT、大和ホテ

ルをY₂が経営していたものであり、二月二十五日前記の通り会社が解散され個人経営となつたものであるが、前記事実上経営の衝に当つていた区分に従い、国際ホテルとニューハカタホテルはY₁、福岡ホテルはT、大和ホテルはY₂の下に、従前通りの営業を続けていること。

(ロ)　ホテルの名称も何ら変更がないこと、

(ハ)　営業の場所も設備も一切同じものであること、

(ニ)　個人企業に移されたとはいいながら従前通りYが事実上の実権を握つていること、

などを綜合して考えれば、三つの事業場を有する会社が分割されて、それぞれ三つの事業場を独立し、その各々において、従前と全く同じ企業がそのまま続けられているものと認められ、労働関係も従前所属の職場区分に従い、それぞれ新経営者に承継せられているものと解するを相当とする。従つて申立人組合の組合員は、新経営者との間に別に新たに雇傭契約を締結するまでもなく、また被申立人らに採用申込をするまでもなく、その労働関係は、当然に会社より被申立人らへ包括的に承継せられたものというべきである。但し、就業を希望しない従業員について、これに就業を強制することのできないのは、いうまでもない」(福岡国際観光ホテル事件、福岡地労委昭二七・六・五命集(1)救三〇〇ノ二)。

なお、次の事案は、X会社が営業権の一部をY会社に譲渡後に解散した場合に、X会社の解散により解雇(労働組合法八条一号違反の解雇)された労働者は、その救済を誰を相手どつて申し立てることができるかがとりあげられたものである。

株式会社自立経済特信社(以下「特信社」という)は、従来のKの個人企業を承継して、Kが社長となり、鉄鋼業界、貿易業界を対象として日刊「自立経済特信」と月刊雑誌「鉄の時代」の刊行をしてきた。昭和三五年一二月三日に従業員二九名中一四名で労働組合が結成され年末一時金の団交がもたれたが、団交拒否、支配介入があり、労使間が紛糾した。特信社は、昭和三六年一月九日に雑誌部門の出版及び営業に関する権利を株式会社鉄の時代社に譲渡し、同月一六日に社長を更迭してTを選任し、同月二七日の臨時株主総会の決議で解散し、同月三〇日登記を終了し、同月三〇日から三一日にかけてその当時の組合員Fほか一二名に対して一せいに解雇通告をなした。なお、鉄の時代社は、Kが社長に就任し、特信社の関係者を重役にすえ、その従業員も一一名中七名は特信社から転用し、特信社の営業譲渡等そのまま使用して営業した。

ところで、解雇されたFほか一二名は、不当解雇であるとして都労委に救済を申し立てた。都労委は、解雇が不当労働行為であると認定し、「自立経済特信社と鉄の時代社とは、会社と全く同一の主体が、ただ形式上在来の事業をその部門毎に分割して各独立の形で営んでいるにすぎない」とし、株式会社自立経済特信社代表清算人T及び株式会社鉄の時代社代表取締役Kに対してFらを復職させるべき旨の命令を出した（自立経済特信社事件、都労委昭三六・九・七命集(1)救一一八九）。

しかし、右の命令の緊急命令申立事件において、東京地裁は、次のような理由で、鉄の時代社を名宛人とした限度において救済命令は違法であるとしてその申立を却下した。都労委と東京地裁との判断の相違は、鉄の時代社への不採用と特信社の解雇を統一的不当労働行為のそれぞれの一環を形づくつていると判断するかどうかから生じているが、本件の場合には、都労委の考え方も論理的に不可能ではないと思う（同旨、吾妻光俊「鉄の時代社譲渡事件」季刊労働法四八号八四頁）。

【25】「労働組合法第二十七条の規定の解釈からすれば、不当労働行為に関する労働委員会の救済手続において申立の相手方たり得るのは同法第七条各号所定の不当労働行為の主体たる使用者（法律上使用者の地位に承継が生じた場合には、勿論その承継人）に限るべきであつて、不当労働行為の客体としてその成立要件をなす特定の労使関係につきなんらの地位も有しない第三者は、たとえ労働者の団結に侵害を加えようとも、右救済手続における申立の相手方とはなり得ないものといわなければならない。なるほど右救済制度の趣旨は不当労働行為による労働者の団結侵害を端的に排除するにあるのであるから、労働委員会はその救済方法につき広汎な裁量権を有するとともに、その裁量の過程において必ずしも不当労働行為が労使間の権利義務に与えた法律上の効果に拘泥するを要しないこと勿論であるとはいえ、これを根拠に救済申立の相手方たる適格を欠く労使関係の第三者に原状回復義務を課することが許さるべきいわれはないのである。ところが本件救済命令は、申立人がこれを発するにつき判断の基礎とした事実からすれば、要するに特信社が組合に加入するその従業員を解雇したことを以て労働組合法第七条第一号の不当労働行為に当るものと認め、被申立会社（鉄の時代社―筆者注）及びKの「自立経済特信社」なる個人企業が形式上はともかく実質上は特信社と同一企業体であることを理由に、右被解雇者の特信社又は被申立会社もしくは右Kの個人企業における原職（又はその相当職）復帰及び賃金相当額の支払（いわゆるバック・ペイ）を使用者たる特信社だけでなく、その労使関係の第三者たる被申立会社にまで命じたものであるから、その内、特信社に対する部分はさて措き、少くとも被申立会社に対する部分は本来救済手続の当事者たる適格のない者を名宛人とした点において違法たるを免れない。もつとも申立人は被申立会社をその名宛人とするにつき被申立会社が特信社と同一の企業体であることを理由としているところからして被申立会社を以て前記労使関係における実質上の使用者と目したものと解されなくはないけれども、かような場合においても右労使関係につき法律上第三者たるを失わない被申立会社を救済命令の名宛人となし得る法理論上の根拠はないのみならず、申立人が認

定したところによつても、右企業の同一性は、特信社と右被解雇者との間に労使関係が生じる以前から存したものではなく、その後に至り特信社が月刊雑誌「鉄の時代」の出版部門につき出版及び営業に関する権利譲渡の形式を践んで企業の実体を被申立会社に移したことを起源とするものでありながら、一方特信社が不当労働行為の意思を以て右労使関係を消滅させるため会社解散及びこれを理由とする解雇通告の挙に出たのは更にその後の事実に属することになるから、申立人が右労使関係における使用者如何につき相当な判断に到達するには、すべからく右事実を前提として、特信社の使用者たる地位はむしろ右企業主体の変動にあたつても営業に関する権利譲渡の目的とならなかつたのは勿論事実上も被申立会社に承継されなかつたものと推認してかかるべきであつたのであつて、かような推認を相当とすべき事実が存する以上、もとより被申立会社を以て右労使関係における実質上の使用者となすべき根拠はないものというべく、いずれの点からしても申立人が被申立会社を特信社と実質上同一の企業体であるという一事だけで本件救済命令の名宛人とするに足るものと判断したのは早計にすぎたものという外はない。あるいは右企業主体の変動が右不当労働行為と関連なく行われたのでない点を洞察して、不当労働行為救済制度の精神に則り、被申立会社を法的には使用者と評価すべきであるという見解をなす向もあるかも知れないが、理論上にわかに左袒し難いところである」（鉄の時代社事件、東京地決昭三七・二・一四労民集一三・一・九）。

企業閉鎖と偽装解散

高 島 良 一

はしがき

労働組合の結成を阻害し、または労働組合の壊滅を意図するなど、労働者の団結を侵害する目的をもつて、企業を閉鎖し、または会社が解散の決議をした場合に、不当労働行為が成立するか、成立するとすればその態様はいかなるものであるか、そうして、これに対してはいかなる内容の救済が与えられるか、という問題は、労働法のみならず商法の領域にも及ぶ重要にしてかつ困難な問題の一つである。

そこで、本稿においては、右に指摘した三つの問題点を中心とし、いかなる場合に不当労働行為の成立が認められたかという事実認定を織り込んで、判例の立場を明らかにしよう。

一　企業閉鎖などと不当労働行為の成否

一　企業閉鎖の自由

使用者が企業の所有者である場合には、その組織した企業を解体し、事業を廃止する自由を持っているから、経営政策上の理由で企業を解体し、これに伴つてその雇用している従業員を解雇することは、もとより正当になしうるところであつて、不当労働行為は成立しない。判例が、

【1】「本件解雇は、解散を前提とする従業員の全員解雇であつて、会社が、会社の解散に藉口し、ことさらに組合の組合員だけを差別待遇して解雇したということは認められないから、本件解雇が不当労働行為であるといい得ない」（キネマ旬報事件、東京地決昭二五・七・六労民集一・四・五八三）。

【2】「会社は、……百貨店として営業を開始したものの、極度の営業不振の結果、C銀行からの融資の望みも断たれて、引き続きその営業を継続することを断念せざるを得なくなり、又S百貨店に対する営業譲渡も見込がなかつた結果、万策つきて右営業を廃止するの外なきに至り、……営業の閉鎖を宣言すると共に、……全従業員の解雇を通告するに至つた」もので、「組合活動を阻止するため、或は営業を閉鎖することにより、組合活動が終熄することを希望ないし期待して、会社において前記営業の閉鎖をなしたものとは認められないから、右営業閉鎖、全従業員の解雇通告をもつて、不当労働行為として無効であるということはできない」（王子百貨店事件、東京高決昭二九・一一・二九労民集五・六・七〇〇）（同旨同事件、東京地決昭二九・七・一二労民集五・三・三〇五）。

【3】「会社は、昭和三三年初頃よりその事業は不振の一途をたどり、右会社としては比較的多額の欠損を生じたこと、製品不良のため、その他の理由により、得意先からの信用を失つていたところ、同年八月初め主なる得意先であるK会社から注文を打切られた外、従来の顧客の大部分を失うような最悪の事態に直面し、

会社の経営を維持するにつき、経営者たるAらは進んで右難局を打開して事態を収拾するの意欲を失い、遂に工場を閉鎖し、従業員全員解雇を通告し、さらに同年一〇月に至り会社を解散するに至つたこと」が認められ、これを覆すにたりる反証はないから、「本件解雇を以て、直ちに不当労働行為として無効と断ずることができない」（東豊工業事件、静岡地沼津支判昭三四・二・六労民集一〇・一・一六）。

と判示しているのは、その理を明らかにしたものである。

二　不当労働行為の意図をもつてする解散の効力

それでは、使用者が、労働組合の結成あるいは組合活動を阻害し、組合の壊滅を意図するなど、労働者の団結を侵害する目的（不当労働行為の意図）をもつて、会社を解散する決議をした場合には、その決議の効力をいかに解すべきであろうか。学説・判例には、その決議を無効とするものと有効とするものとの二説がある。

（一）　無効説　学説は、労働組合の存在と機能とを認める全法律秩序のもとにおいては、労働組合の存在と機能とを抹殺することを決定的原因とするがごとき態様で、解散の自由を行使することは、公序良俗に反するものであつて、法律上許されず、その解散決議は無効であるとされる（横井芳弘「企業解散の自由と不当労働行為」季労二三号九一頁、木下忠良「会社解散と全員解雇の効力」討論労働法六五号一頁）のであるが、判例も、同様の趣旨で、つぎのように述べている。すなわち、まず、不当労働行為の意図をもつてする解散がいかなる場合に認められるかにつき、

【4】　X会社は、A社長の独裁的経営にかかる町工場式の個人会社であつて、労働条件にも恵まれず、地位改善を申し出ても頭から抑えられていた。従業員は一四名であつたが、昭和三一年七月七日そのうち一〇名が組合を結成し夏期手当の要求をしたところ、Aは、組合長に対し、組合の結成を嫌悪し、組合を抑圧す

るような言動をなした。その後七月三一日会社はBを解雇したので、組合は解雇反対闘争の方針を決定し、八月七日争議態勢に入るとともに、地労委に対してあつ旋を申請したところ、一四日あつ旋案の提示があり、会社はその場でこれを受諾した。

この間、A社長は、八月一三日信用金庫から一〇〇万円の融資を受けて将来に備えるとともに、一五日臨時株主総会を開き、X会社の解散決議をなし、これを理由として、翌一六日従業員全員に対し、即時解雇の通告をした。

従業員は、八月一六日まで就労しており、会社の正常な業務運営を著しく阻害したとは認められないのであるが、会社は、Bの解雇を契機として組合の闘争態勢が強化されるにつれ、当時工場内に山積していた受注品を注文先に返還したり、外注に廻したりして、作為的に従業員の仕事を減らしていた。

会社の経営は、昭和二九年ごろから、極めて順調の一途をたどつていて、解散当時経営不振の状態にあつたとは認められない。

これらの事実を総合すると、「A社長の主導の下になされた右解散決議は、事業不振又は組合の業務阻害のため、将来会社を維持運営してゆく意欲を喪失した結果によるよりは、むしろ企業の所有並に経営者において、組合を極度に嫌悪し、全従業員を解雇して、組合を壊滅する意図の下になされたものと認めざるを得ない。そして、かかる意図を決定的原因としてなされた右解散決議は、その意図する解雇による組合壊滅と表裏一体をなす」（太田鉄工所事件、大阪地判昭三一・一二・一労民集七・六・九八六）。

と述べ、その解散決議の効力につき、

【5】「企業は資本と労働力を包摂し、労働力を離れては存立し得ないものであるから、企業の廃止は資本の解体のみならず、その労働力の処分を必然的に伴うのであるが、かかる労働力の担い手としての労働者にとつては、その企業が自己並に家族の社会生活を可能ならしめる母胎であり、その労働者としての地位向上

のためには、労働組合を組織し、団結の力によつて使用者と対等の立場で交渉し、団体行動に訴えるところのいわゆる団結権が憲法、労組法によつて保障せられている。労働者の自覚の下に組織された労働組合の健全な発展を保護することは、現在の社会的・経済的秩序の要請といわなければならない。

従つて、企業主体の有する企業廃止の自由（憲法第二十二条の職業選択の自由、商法第四百四条第二号）と雖も、今日においては絶対無制約のものではなく、かかる社会的秩序の要請する制約に服さなければならない。企業廃止の自由は濫用されてはならないのである（憲法第十二条、民法第一条第三項）。

殊に、企業別組合の形態のもとにおいては、会社の解散は従業員の解雇並に組合の解体消滅を伴うから、企業能力を有する会社が、労働組合の合法的組織活動を弾圧し、全組合員を解雇することによつてこれを壊滅させることを決定的原因として企業を廃止することは、すでに企業廃止の自由の濫用として許されないところであり、現在の社会的秩序に著しく背反するものといわなければならない。

このようなわけで「組合を壊滅させる意図の下になされた」本件解散決議は、憲法第二十八条、労組法第七条第一号第三号に違反し、従つて企業廃止の自由の濫用であると同時に公序良俗に違反するものとして、無効であるといわなければならない」（太田鉄工所事件、大阪地判昭三一・一二・一労民集七・六・九八六）。

と判示している（前掲無効説をとる学説は、この判決の判例批評として展開されたものである）。

(二)　有効説　　学説は、企業経営の自由を根拠とし、その理論を展開する。すなわち、営業の自由は、職業選択の自由の一側面として、憲法上の保障を受けるものであるが、それは、組織法的には、その欲する企業組織を形成し、改造・譲渡し、かつ廃止することの自由を、行為法的には、その欲する企画に従つて経営活動を営むことの自由を内容とする。それは、市民として有する全人格的な自由である。

他方、企業主体は、労働組合と対向関係を持つ限りにおいて、使用者といいて団結権による規制を受ける。その規制は、全人格的な規制ではなくして、限定的な規制である。したがつて、後者を理由に前者に制約を加えることは不可能であるか、あるいは、団結権による規制は、営業の自由を全面的に否定するほど強度のものたりえないというのである（石井照久＝萩沢清彦「労働法」判例法学全集六一〇頁、石川吉右衛門「企業の解散決議が不当労働行為として無効となるか」ジュリ一二六号四二頁、岩垂肇「企業廃止と不当労働行為」労働法と経済法の理論一五一頁、柳川ほか・全訂判例労働法の研究下巻一三六五頁、拙稿「不当労働行為の意思をもつてする会社の解散決議」ひろば一五巻二号一〇頁）。

判例も、右と同様な基本的見解のもとに、つぎのようにいう。すなわち、

【6】「企業主がその企業を廃止すること自体、職業選択の自由の一環として、その自由が認められるものであり（憲法第二二条）、その自由は、その動機が、従業員を解雇して労働組合を壊滅せしむるにあるからといつて、制約さるべき根拠はない。もし、これを反対に解するときは、企業主が全く経営意欲を失つたにかかわらず、企業の維持を強制されることとなり、かえつて、個人の自由を束縛する結果となるであろう。

それ故、従業員を解雇して労働組合を壊滅させる意図でなされる企業の廃止を禁止し、企業主の意思に反しても、なお企業の維持をはかつて、従業員ないし労働組合を保護すべき必要があるとするときは、企業経営者の交替をはかる等の措置を講じて、企業の維持をはかるとともに、企業主を当該企業より解放する配意を示すべきを当然とし、法がこの点につき何らの措置を講じていないことは、法に企業廃止の自由を制限する意図のないことを示す根拠を提供するものというべきである。

そもそも、不当労働行為は、企業の存在を前提としてはじめて問題となる事項であつて、企業の廃止ないし企業主の人格の消滅を目的とする行為は、不当労働行為以前の問題であると認むべきものである。このことは、不当労働行為の禁圧が、企業内における労働者の組合活動の自由を確保して、企業における労使対等の原則を維持しようとするものであることからいつて当然のことである。

それ故に、企業の廃止ないしこれに到達する前提として、会社の解散が、かりにその動機において不当労働行為意思を蔵するとしても、企業の廃止ないし会社の解散自体については、不当労働行為の問題を生ずる余地はないものといわなければならない」（三協紙器事件、東京地決昭三六・一一・一七労民集一二・六・九九八）。

とされ、その控訴審も、

【7】「会社解散の決議は、会社とすべての人の間の法律関係を絶止して、会社を消滅させることを目的とする会社内部の意思決定であるから、解散決議の動機が労働組合を潰滅させる意図より発したとしても、対労働組合乃至労働組合員との法律関係の絶止だけを目的とすることは許されず、すべての面において法律関係を終了させ、会社自体の消滅に向わなければならないものである。然るに、不当労働行為の制度は、企業内における労働者の組合活動の自由を確保して企業における労使対等の原則を維持しようとするものであるから、企業の存在を前提としてはじめて不当労働行為を問題となし得るものである。かかる観点からみれば、本件解散決議は虚偽、仮装のものであることは明らかにせられておらず、従つて、会社それ自体の消滅を目的とするものと解すべきであるから、不当労働行為の問題を生ずる余地はないものと解す〔べきである〕」（三協紙器事件、東京高決昭三七・一二・四労民集一三・六・一一七二）。

と判示している。同様に、

【8】「株式会社を解散するか否かということ……は、株主の自由に委されているところであつて、労働組合のために企業を存続させなければならぬという法律上の義務はないのであるから、株主が、真に会社を解散せしむる意思の下に、その旨の決議を為すならば、これによつて会社解散の効力を生じ、たとえ、それが組合結成の阻害のためであつたにせよ、このことの故に、是等の解散を無効とすべき理由はない」（福岡国際観光ホテル事件、福岡地判昭二七・五・一二労民集三・四・一二五）。

あるいは、

【9】「元来労使関係の当事者としては、使用者は、憲法第二十八条を守る義務がある。しかし、労使関係の当事者となるかどうか、労働者を使用する企業を営むか否かということは、全く個人（会社）に任せられているのである。企業廃止の自由が制限されるということは、換言すれば、企業の継続が強制されるということであり、個人企業の場合には、当然に強制労働という問題が起り、会社の場合には、財産権に対する干渉が問題となる。

要するに、企業廃止の自由は、職業選択の自由、経済行為自由の原則と表裏一体をなすものであるのみならず、強制労働禁止とも関係し、現行法秩序の下では、最も尊重されなければならないものとされているのである。この場合、経営が盛況であつたか、不況であつたか等は問題にならないし、盛業中の個人企業が、例えば、彼の人生観の変化により、突如として閉鎖された所で仕方がない。

この場合、従業員は、非常な迷惑を蒙るであろう。この場合に対処するものとしては、失業保険と職業紹介等の手段があるに過ぎない。これが、……現行全法秩序の一環なのである。憲法第二十八条は、労使関係の存在する場合にのみ問題となるのであつて、労使関係そのものの存続を強制するものではないのである。

従つて、使用者たる（株式）会社にとつては、会社を解散するか否かということ……は、株主の自由に委されているところであつて、労働組合の為に企業を存続せなければならぬという法律上の義務はないのであるから、株主が真に会社を解散せしめる意思の下に、その旨の決議を為すならば、これによつて会社解散の効力を生じ、たとえ、それが組合壊滅を図るためのものであつても、そのために、右の解散を無効とすべき理由はない」（小畑鉄工所事件、神戸地社支判昭三五・七・一二労民集一一・四・七六三）。

として、有効説をとつている判例が有力である。

そうして、かような理論を前提として、救済命令につき、

【10】「会社の解散が真の解散であつて、偽装解散と認定できない以上、たとい……〔解散を理由とする従業員の〕解雇が組合への加盟およびその活動に基づくものであつても、労働委員会としては、清算中のこの会社に対し、事業を再開して被解雇者を原職に復帰させることを命ずるような内容の救済命令を発することはできない」（大和機工事件、広島地労委決昭三六・六・七令集(二四・一二五) 一三五）。

と述べている命令もある。

要するに、判例は、不当労働行為は、企業の存在を前提としてはじめて問題となることがらであるから、企業の廃止を目的とする行為は、不当労働行為以前の問題であるといい（〔6〕〔7〕の判例）、あるいは、企業主は、労働組合のために企業を存続させる義務はなく（〔8〕の判例）、企業主に経営を継続する意思がないのに、労働組合のために企業の継続を強制することは、個人の営業の自由を不当に制限し、財産権に対し干渉を加える結果となる（〔6〕〔9〕の判例）というのである。

三　問題の所在

（一）　まず、ここで考えなければならないのは、「真に企業を廃止する（会社を解散させる）意思をもつてする」解散決議がある場合に、その有効・無効が問題になるということである。たとえば、企業主が労働組合を壊滅させるために、解散を仮装したごとき場合には、解散決議が存在しないか、もしくは企業を廃止する意思を欠き、その決議自体が有効に成立したといえるかどうか、きわめて疑問であるといわざるをえない。

かような仮装解散（偽装解散）に際して行なわれる解雇について不当労働行為の成立を認める判例

はかなり多いが、この問題は、項を改めて考察しよう。

（二）　つぎに、そこには、「真に企業を廃止する意思」のほかに、「労働組合を壊滅させる意図」が併存することを考えなければならない。無効説が述べているように、労働者の団結は、憲法・労組法などによつて保障されているのであるから、その侵害を志向する意思が違法なものであることには相違はない。したがつて、労働組合を壊滅させる意図という解散の動機・原因は、たとえば「人生観の変化」（〔9〕の判例）というがごとき法律上無意味な動機・原因とは、本質的に異ると考うべきであろう。すなわち、いかに企業を廃止する自由があるからといつても、それが違法な動機・原因にもとづき、他人の権利を侵害するような仕方で行使されるときは、なんらかの形で法的な制約を受けざるをえない。

（三）　ところで、不当労働行為の制度は、労使の対向関係における労働者の権利を保障するために設けられている。それでは、労使関係の前提となる企業の廃止を招来する解散決議については、【6】【7】の判例が述べているように、不当労働行為の成立する余地は、全くないといえるであろうか。いうまでもなく、労働者の団結を核心として展開される労働運動は、本来企業外的性格のものである。つまり、企業がなければ労働運動はありえないというものではない。法はかような労働運動を保護することを目的とする。ただ、特定の使用者と対向関係を生じた場合に、その使用者の加える違法な侵害に対し、原状回復の救済を労働者に与えるのが不当労働行為の制度である。

もとより、企業が消滅した場合には、労使の対向関係は存在しなくなる。しかし、このことから、ただちに、対向関係の消滅を招来する行為については不当労働行為が成立しないといいきれるであろうか。なぜならば、その行為を無効なものとし、あるいはこれを撤回させて、企業の存続、したがつて労使の対向の継続をはかることも、考えられないことではないからである。してみれば、企業の廃止について不当労働行為が成立するか否かということは、解散決議を無効とするか否かをその先決問題とするといわなければならないであろう。

考え方いかんによつては、組合員に対し、個別的に解雇その他の不利益な取扱をすることによつて、組合の壊滅をはかるよりも、企業の廃止により、労使の対向関係を消滅させて、労働者の団結を有名無実なものたらしめる（とくに、わが国のように、企業内組合を原則的形態とする場合においては、その効果はいちじるしく現われる）ほうが、より徹底したやり方であり、より不当労働行為的であるとさえいえるわけである。

(四)　有効説は、すでに述べたように、営業の自由をその拠りどころとしている。それでは、労働者の権利を根拠として、営業の自由に制約を加えることは不可能であろうか。

なるほど、企業主体の使用者たる地位、したがつて労使の対向関係は、企業組織を前提として成り立つものであり、その意味で、企業主体たる地位は前使用者的であるといえるであろうが、企業主体が労働組合と対向関係を持つ限りにおいては、経営組織・経営活動も、それと無関係ではありえない。この点、労使関係とはなんらの関連を持たない市民的自由は、営業の自由と性格を異にするといわなければなるまい。つまり、営業の自由といえども、企業主体が労働組合と対向関係を持つ限りにおいては、すでに述べたように、団結権による法的規制を受けざるをえないのである。

要は、使用者に対して加えられる団結権による規制は、市民として有する全人格的な経営の自由ないし営業活動を、どの程度・いかなる態様で制約すると解するのが、わが国の全法律秩序のもとにおいて妥当であるかという問題に帰着する。

もし、使用者としての人格的活動が、質的にみて、企業主体としての全人格的活動を覆う、いいかえれば、企業主体は、ひとえに労働者のために存在するというように、労働権（団結権を含めて）の優位を認めうるならば、無効説のごとき結論が導き出されることになろう。

これに対し、団結権の保障による労働者の生存の確保ということも、私有財産制と市民的自由（とりわけ営業の自由を含む経済活動の自由）を基調とする資本制法律秩序のうちで実現されると解するならば、企業主体の持つ全人格的な営業の自由は、使用者たる地位の基礎をなし、使用者たる一面において受ける団結権による規制は、営業の自由を全面的に否定するほど強度のものと考えることはできないであろう。

この二つの考えのいずれを採るかによつて、無効説と有効説との岐れを生ずると考えてよい。

もつとも、有効説をとつても、労働組合を壊滅させる意図をもつてする解散が違法なものであることには相違ないのであるから、労働組合または労働者は、これによつてこうむつた損害の賠償を使用者に求めることができるわけである。

二　偽装解散と不当労働行為

一　解散と不当労働行為の成立

すでにみたように、労働組合の壊滅を意図してなされた解散決議も有効であるとするのが判例の大方の傾向であるが、その解散を理由とする解雇については、不当労働行為の成立する余地があるとすることも判例の立場である。すなわち、有効説をとっている【6】の決定も、

【11】「ただ、この場合注意しなければならないことは、会社の解散を理由とする従業員の解雇が不当労働行為になるかどうかは、解散の効力とは関係がないことである。

会社が真実企業を廃止する意思がないにかかわらず、従業員を解雇して労働組合を消滅させるため、解散を偽装し、これに藉口して従業員を解雇した場合には、その解雇は、疑もなく不当労働行為を構成する。かりに、この場合の解散が偽装でなくとも、不当労働行為の意思をもつて、清算終了前に従業員を解雇した場合には、なお、その解雇につき、不当労働行為の成立を肯定すべき余地がないことはないであろう」（三協紙器事件、東京地決昭三六・一二・一七労民集一二・六・九九八）。

と述べている。

すなわち、労働組合を壊滅させることを意図してなされる解散は、多くの場合、その企業を廃止することが目的ではなくして、労働組合を排除したうえ、形式的には別個であつても、実質的には同一の経営体を持つた企業のもとで、新たに雇い入れた従業員や非組合員によつて事業を継続してゆくことをねらいとするものである。

それであるから、かような解散にあつては、真に会社を解散させる意思がないといえることもあるであろう。事実、企業を廃止するということは、主観的にも・客観的にも、相当な理由がそなわらぬ限り、容易には行なわれるものではないということに思いを致すべきである。なぜならば、企業が存立している場合には、これを中心として多数の複雑な取引関係が形成され、その企業は、あまたの利害関係の結合点をなし、したがつて、その企業を維持すべきことが客観的に要請されるのみならず、企業主体についてみれば、事業経営の意欲をたやすく放棄することは、通常考えられぬところであり、とくにその収益によつて生活を維持し、財貨の増殖をはかるということは、抜き難い本能として、かれを支配しているものだからである。

かような解散は、厳格な意味で、偽装の解散たる名に値いするものといえる。

かりに、偽装の解散とはいえないにしても、解散後、会社継続の決議をなし、あるいは解散した企業の経営を包括的に承継したと認められ、したがつて解散した旧企業と実質的に同一性を持つ新企業を設立し、旧企業の従業員の大部分を引きつづき雇用しながら、特定の組合の組合員や組合活動の主導者を、そうであることを理由に解雇し、あるいは承継しなかつた場合には、不当労働行為（不利益取扱）が成立することになる。けだし、一般に、会社解散の決議をしたからといつて、当然に従業員を解雇しなければならないというわけではなく（会社継続の決議をなしうること、さきに触れたとおりである）、まして、新・旧両事業が組織的にも・活動的にも同一性を保有している限り、従業員の労働関係も承継されるのが常態であるといいうるからである。

二　不当労働行為の成立が認められたケース

そこで、つぎに、企業閉鎖（企業の一部である工場・事業場の閉鎖を含む）や解散に関連し、いかなる場合に不当労働行為の成立が認められているかを逐次考察しよう。

（一）　解散だけが行なわれた場合

労働者が労働組合を結成したこと、もしくは組合活動をしたことを嫌悪し、これを理由に労働者を排除するため会社を解散し、労働者を解雇したときは、その解雇が不当労働行為にあたるとすること判例である。たとえば、

【12】　ゴルフ・クラブの委託にもとづき、クラブ内で食堂を経営しているY会社が、その従業員の加入している合同労組本部からの団体交渉申入に対し、支部にあたる組合にむかつて、しかも正式の名称を用いずに回答をくりかえすなどして、本部の急進的な組合活動を嫌悪していた。その後、組合は、理事長杯トーナメントが行なわれた日にストライキを行なつたところ、Y会社は、食堂を閉鎖し、ついで会社を解散し、これを理由に組合員を解雇した。

「組合側は、本件ストの効果を挙げるため、倶楽部で主要行事の一つとして理事長杯獲得トーナメントの行われる七月五日を選んでストを決行したのであるが、これがため倶楽部の行事に多大の支障を来したことは認められるが、これをもつて、直ちに正当な組合運動を逸脱したものであると速断すべきでなく、むしろY会社がこのストを機に、対組合間の紛争が更に惹起複雑化することを危惧し、倶楽部の事業自体の性質に鑑みこれ以上迷惑をかけるに忍びず、経営も赤字指向増大の傾向にあると藉口して事業場閉鎖、従業員解雇、会社解散の一連の線を打出したのに外ならない。

このことは、支部組合員個々に対しY会社から発せられた七月十三日付解雇通告に、会社解散をするに至つた事情として、組合側の行動は倶楽部主催の競技の妨害に等しい行動であると難じ〔た〕記載はあるが、赤

字累積又は経営困難のため解散するとの趣旨は全然表示されておらず、このことは明らかに、組合の活発な組合活動の推進を怖れ、且つ嫌悪したことが会社解散、支部組合員の解雇の決定的要因となつたものと判断され、経営上の赤字累積の傾向、言い換えれば経営不振が会社解雇の主原因であるとのY会社の主張は単なる口実に過ぎないものと認められる。

従つて、支部組合員七名に対するY会社の解雇は正当なる組合活動を活発にしたことを嫌つてなされたものに外ならず、Y会社のこのような行為は労働組合法第七条第一号に規定する不当労働行為に当然該当する」（東京ゴルフ食堂事件、埼玉地労委決昭三五・七・七命集(二二)・一二三)一四六）。

【13】　取引状態は一応順調で相当の収益を挙げうる情況にあり、経営が赤字になり運営困難に陥つた事実を認めることができない。しかるに、労働組合が結成された直後、社長は、「組合を結成するなら直ちに工場を閉鎖する」「社長が作る第二組合に入れ、でなければ首にする」という主旨の言明、申向けをした上、ついに会社を解散し、全従業員を解雇したことは――非組合員の間で、組合がつぶれたら工場は再開される、半年くらいの辛抱だという話が交わされている事実と相まつて――この解雇は組合員たることを嫌悪し、組合員全員を排除する意図のもとになされたものと認めるのが相当であり、不当労働行為たる解雇として無効なものである（小畑鉄工所事件、神戸地社支部判昭三五・八・八労民集一一・四・八三七）。

【14】　Y会社は、A会社H工場の赤字経営を合理化するため、これをA会社から分離し、昭和三四年八月一日資本金五〇万円をもつて設立された会社である。Y会社は、土地・建物および設備一切をA会社から賃借して発足したが、同三五年五月資本金を一五〇万円に増資し、増資分一〇〇万円はA会社が出資して、機械設備をA会社から買い受けた。

昭和三五年八月一八日Y会社の従業員一四名中一二名がX合同労組に加入し、同月二〇日X組合は、Y会社に対し一〇〇円の賃上げを要求し、一時闘争態勢に入り、九月一四日労働委員会のあつ旋のもとに団体交渉を行なうことになつたが、九月一六日以降は社長の病気あるいは不在のため団体交渉は行なわれなかつた。

Y会社は、九月二二日開催した取締役会で解散を決定し、同月二六日組合との団体交渉の席上、経営困難を理由に会社を解散し、従業員全員を同日付で解雇する旨表明した。

X組合は、労働委員会に対し、不当労働行為の申立を行なつたが、Y会社は、一〇月七日臨時株主総会を開いて解散を決議し、清算手続を行なつている。

Y会社は創立第一期において利益一二四、〇二一円をあげ、予定した受注量も確保され、解散前の五月から八月まで四ケ月間の生産高の実績は、会社創立以来最高のものであり、受注量・生産高ともに順調な推移をたどつている。争議により多少の信用の失墜は認められるが、受注の大半を占めるA会社とは、前記のごとき特殊関係があり、B製作所関係もストによる一時的なものであつて、いずれも信用の回復は必ずしも不可能ではない。

「上記のような次第であつて、このように上昇線をたどつていた会社が、その経営が成り立たないことを理由に解散して全員を解雇することは、とうてい首肯しえないところであり、会社の今次解散による解雇は、単に経営上の理由によるものとは認められない。」

工場長S、職長Tは、従業員の組合加盟後、組合員に対しいろいろ組合を誹謗し、組合から脱退することを慫慂し、また従来の作業量が減少していないのに、残業を突如打ち切つている。また従業員が組合に加盟したことにもとづき、組合員に対し、寮に預けてあつた荷物の持出を強要し、下宿補助代、定期代も打ち切つている。

「以上のとおり、会社がなした今回の解雇は、経営上の理由によるものではなく、会社の組合員に対する言動、ならびに会社の解散が従業員の組合加盟に近接した時期に決定されたことなどを総合勘案すれば、組合加盟およびその活動を理由としたもので、労働組合法第七条第一号に違反する不当労働行為であると判断せざるを得ない」（大和機工事件、広島地労委決昭三六・六・七令集(二四・二五)一三五）。

との判例がそれであつて、解散と解雇とのいずれが先になされたかということは問わず、解雇が不利益取扱にあたるとされる。

なお【4】の太田鉄工所事件の判決も、この類型に属する。

（二）　解散決議を取り消した場合　　解散決議を取り消すことが許されるか否かの法律問題はしばらくこれを措くとしても、判例が述べているように、

【15】「会社は、解散を決議するに至つた理由として、『当時会社の経営が最悪の状態にあつたにも拘らず、組合がしばしば罷業・怠業を行つたので経営を維持することが出来なくなつたためである』旨述べている。しかし、会社が提出した営業報告書その他の資料によつて見ると、当時会社は早急に解散しなければならないほど経営が逼迫していたと認めることが出来ないし、又本年二月以降に行われた同盟罷業が直ちに会社を解散に追込むほど経営を悪化させたと認めるに足る疎明もない。

一方、昨年九月賃金改訂に関する争議以来、会社と組合との関係が円滑でなかつたことは明らかであり、又本年二月九日のいわゆる暴行事件（これについては、後日当事者間に示談が成立した）に端を発する当事者間の紛争が激化し、同月二二日組合が同盟罷業を行うに至つたこと、及びその直後の同月二五日に組合の要求事項（懲戒解雇の撤回及び会社三役の退陣）に対する態度を決定するために開催された役員会において、会社は解散する旨決定したこと、並びに三月八日の臨時株主総会において解散決議に賛成したのは、現役員のみであつたこと等「が認められるから」、会社が解散の態度を表明するに至つた直接原因は、組合対策のためであると認定される。

しかも、会社は道路運送法第二十八条による解散認可申請書を解散決議の日から約一ヵ月半後に提出し、しかも、書類不備のため返戻されたに拘らず、これを補充訂正して再提出しなかつたこと、及び会社と組合との退職金等に関する協定事項が履行されると同時に、Aらの請求によつて招集された臨時株主総会において、さきに解散決議に賛成した役員らがすべて解散決議取消に賛成したこと〔解散決議をしてから、これを取消したときまでの二月半の間に経営状態が好転したとも認められないこと等〕……の事情を併せ考究すると、会社は、組合対策のため、解散を仮装したものであると認められる。

〔さらに、会社は、四月二三日組合とのあいだに解散に関する調停書作成後、新規採用者・非組合員・組合脱退者をもつて事業を継続したという事情を〕綜合して判断すると、会社は組合対策の一環として、解散を仮装して組合所属従業員四十名を排除すると共に、右の解散を取消して組合員以外の従業員のみを継続雇用し来たものであつて、かかる会社の行為は〔労組法七条一号に該当する〕」（石巻陸運事件、宮城地労委決昭二六・一〇・二二令集五・七三）。

ということができよう。なぜならば、このケースにおいては、会社は、実質的にその経営を継続しているのであつて、組合対策という問題が起らなければ、会社の解散とこれを理由とする従業員の解雇は、行なわれなかつたといいうるからである。

㈢　会社の解散に新企業の設立が伴う場合　【15】のケースは、同一の会社が解散決議を取り消して、企業を継続させた場合に関するものであるが、これと同様に、会社が解散し従業員を解雇をした後、もしくはこれに先立つて、その会社と実質的に同一性をそなえた別個の企業体を組織するという形で企業の継続を図ることがある。この場合においても、

【16】「企業というものは、労働力を離れては在り得ない。つまり、それは有形無形の資本と労働力の結合による動的な組織体とみるべきであり、従つて、労働関係は特定の経営者に対するというよりも、むしろ企

業そのものに結合したものということができるから、たとえば、合資会社から株式会社に組織変更があり、株式会社から個人企業に切換が為されたとしても、企業そのものが廃止されることなく、同一性を存続する限り、労働関係は新な経営者に承継されると解すべきである。

（中　略）

それで、たとえ株主総会において解散の決議が為されても、これにより終局的な企業の廃止が伴わず、新な経営者がこれを承継して経営を続ける場合には、ただ企業の所有者乃至経営者が交替をしたというに止り、企業そのものは、実質的に同一性を失うことなく、終始存続しているとみることができるから、労働関係は解散会社から新な経営者に承継せられ、従つて、この意味では、解散会社に清算の必要もなければ、又清算の観念を容れる余地もないのである。

（中　略）

そうすれば、たとえ解散の決議が為されても、企業そのものは廃止されず、新な経営者に同一性を失うことなく、承継せられる場合には、清算のために全従業員を整理する何等の必要がなく、従つて、このような場合に、清算会社が組合の結成を阻害し、これに熱心であつた者を排除する底意の下に、従業員を解雇することは、解散が有効であるに拘らず、矢張り不当労働行為を構成し、無効と解するのが相当である」（福岡観光ホテル事件、福岡地判昭二七・五・二労民集三・二・一二五）。

という法理にもとづき、不当労働行為の成立を認めることができる。

この場合、新企業への労働関係の承継と解雇のいずれが前に行なわれたかによつて、不当労働行為の成立の態様が異ると考えてよいであろう。すなわち、解雇が先に行なわれる場合には、その解雇が不当労働行為にあたることとなるであろうし、新企業への労働関係の承継（後に解雇されたものの労働関係は、新企業に承継されなかつた場合）が行なわれ、その後に旧企業に残つた労働者を解雇した場合には、まず新企業への承継について、差別待遇が成立することとなろう。このことは、救済命令の内容に関連するので、後に述べるが、判例は、その前後にかかわりなく、解雇について差別待遇を認める。

すなわち、

【17】　株式会社丸乙小林商店は、青果物・みやげ品の卸小売を業とする会社であるが、その従業員一〇名は、昭和三四年二月二四日労働組合を結成した。会社は、当初から組合を否認し、要求を無視する態度をとつていた。同年一〇月一日有限会社小林岩起商店が設立され、株式会社は、その店舗その他の経営施設と商品の大部分を有限会社に譲渡し、株式会社は、店舗の一部（三坪）でリンゴの籠詰作業のみに縮少されるにいたつた。また有限会社は株式会社の組合員を除く全従業員を引継いで、同年一〇月一〇日から本格的に業務を開始した。

これに先立ち、同年七・八月頃、組合員をリンゴの籠詰作業に配置転換している。

「株式会社は、組合を嫌悪するあまり、組合員を経営の主要部門から排除するために、有限会社の設立を企図して配置転換し、さらに有限会社が設立されるや、そのほとんど大部分を移し、組合員と非組合員を差別扱いして、組合員を故意に不利益な立場におとし入れたものである。かかる意図で行なわれた株式会社の組合員に対する配置転換は、労働組合法第七条第一号に該当する不当労働行為である。

また株式会社は存在意義を失い、その企業の実態は変ることなく同一性をもつて有限会社に承継されており、かかる場合、労働関係も当然包括的に承継さるべきものと解する。

しかるに、有限会社が株式会社の意を体して組合を排除しようとして、本来承継すべき組合員四名を雇い入れなかつたことは団結権を侵害するもので、解雇を不当労働行為と認めた本制度の趣旨からみて、労働組合法第七条第一号に該当する不当労働行為である」(丸乙小林商店事件、長野地労委決昭三五・五・四命集(二一・二三)一一五)。

【18】　株式会社英語通信社は、従業員二三名をもつて、「ザ・カレント・オブ・ザ・ワールド」「ウイクリー」の発行、その他の単行本の出版ならびに「大学受験通信添削講座」の実施を業とする株式会社であり、その従業員一七名が組合を結成している。

組合は、昭和三三年一一月以降越年手当についての闘争を行なつてきたが、会社は、翌三四年二月受験講座の不振が原因で赤字経営となつたので、企業縮少と人員整理を行なうとして、三月二七日従業員一〇名を解雇し(第一次解雇)、その後、同年四月一八日の臨時株主総会で解散決議をするとともに、解散を理由に、残りの組合員七名を全員解雇した。その後、「英通社」という名のもとに「ウイクリー」「カレント・オブ・ザ・ワールド」が発行されている。

「一、第一次解雇について

会社は、第一次解雇は赤字部門である受験講座を昭和三十四年四月から廃止するため、組合員十名の希望退職者を募つたが、組合は業務縮少案の撤回を要求するのみで全くこれに応じなかつたために行つた指名解雇であると主張する。

しかし、会社の業績低下は認められるとしても、直ちに十名を解雇しなければならないほど経営がひつ迫していたという充分な疎明はなく、また問題となつた受験講座の会員数は、昭和二十八年以降年を追つて減少し、昭和三十三年に至つて月平均一、五三六人まで減少しているけれども、会社は同講座の採算点を会員数一、五〇〇人においていたことが認められる。

しかも、会社は業績低下の最大の理由となつた受験部門を縮少して『ウイクリー』その他の宣伝部門に重点をおく機構改革案を昭和三十四年一月六日組合に提示し、直ちに実施した。しかるに、この機構改革を実施してから約一カ月の後、その成否如何も明らかにならない二月十日に、会社は再び経営方針を変更して、企業縮少、人員整理案を組合に提示するに至つた。

二、第二次解雇について

第二次解雇については、会社は赤字の累積に加え債権者の協力を得ることが不可能となつたため、四月十八日臨時株主総会の決議により解散したので、やむなく解雇したと主張するが、英通社なる名のもとに、『ウイクリー』『カレント・オブ・ザ・ワールド』は依然として引続き発行されている。この英通社なる名称は、従来から会社の略称として使用されていたものである。また『ウイクリー』『カレント・オブ・ザ・ワールド』の発行者であるAは、株式会社英語通信社代表取締役社長Bの孫であり、同社常務取締役Cの次男である。

また会社は、徹頭徹尾経営不振による赤字の累積を主張しておきながら、大口債権者であるK紙業に対しては、債務約一〇〇万円の支払いを昭和三十五年二月頃には完了し、その後も英通社が同社と取引関係にある。

さらに、昭和三十四年二月四日には、すでに英通社A名儀で東京中央郵便局に私書函を設置していた。その上同年同月十二日頃、組合が英通社社長あての団交申入書を提出したところ、会社は従来とことなり、直ちにあて名を英語通信社社長に訂正させたことなどからみて、この頃すでに英通社の名の下に業務の継続を企図していたものと認められ、従つて、株式会社英語通信社と英通社は実質上同一である。

三、組合活動について

一方組合は昭和二十三年結成されたのであるが、見るべき活動はなかつた。しかし、昭和三十三年に至つて夏季手当闘争、年末手当闘争を通じ、同年末から翌三十四年初にかけて、組合活動は俄然活発となつたことが認められる。会社はこのような組合の活動を極度に嫌悪し、昭和三十四年二月十一日の団体交渉申入に対しても、ほとんどこれを拒否する態度に出た。またその後行われた団体交渉においても、業績悪化、人員整理の不可避な理由について何ら具体的説明を行わず、業務縮少の一点張りで押し通し、希望退職者の退職金についても、単に規定の五割を支給すると述べたのみであつた。その挙句三月二十七日第一次解雇が行われた。しかも、同日には団体交渉が行なわれていたにも拘わらず、解雇について何ら言及するところがなかつた。

他方、すでに同年二月には別に英通社がつくられていた。会社は、右のような第一次解雇の手段をとつたにも拘らず、なお組合が潰滅しないとみるや、同年四月三日会社解散を決議し、全員解雇（第二次解雇）の挙にでたものと認められる」（英語通信社事件、東京地労委決昭三五・四・三〇命集(二二・二三)一〇）。

【19】　株式会社日本写真新聞社は、日本橋小島ビル内に東京営業所をおき、従業員一五〇名を雇用して(イ)写真新聞の出版・販売、(ロ)写真資料、図書類の出版・販売、(ハ)映写スライドの制作・販売、(ニ)写真撮影・広告の引受けとその代理業務とを営む会社であつた。

その従業員は、昭和三四年一一月八日東京出版印刷製本産業労働組合（合同労組）に加入し、数日後その数は六九名になつた。

会社社長Aは、組合を否認するような態度をとつており、年末賞与の支給に関する協定だけは締結したが、昭和三四年一二月一一日東京営業所を手狭な目黒分室に移し、同年一一月から一二月にかけて、会社の各部局をつぎのように分散した。

(1)　編集局第二部・第三部は東京デザイン社に、
(2)　写真部・資材部は日写フォート・サービス・センターに、
(3)　事業局・編集局第一部は日写通信社に。

そうして、右各事業所は、小倉ビルまたはその附近におかれ、非組合員たる役職員、社員、臨時採用者などが分散前と同じ仕事を行なつている。

その間、会社は、組合員に対してだけ、昭和三四年一二月一七日から同三五年一月一〇日まで休暇を命じ、その後、会社は、昭和三五年三月七日商号を日本写真通信社と変更し、同月二二日解散決議をなし、解散を理由として、組合員たる従業員を解雇した。

「一　会社は、東京営業所を閉鎖して目黒に移転したことは、小島ビルから立ちのきを要求されたためであると主張する。しかして、賃貸人Bから賃借人会社宛の小島ビルの賃貸借契約の解除通告書（昭和三四年一二月五日付）において『昭和三四年四月一日賃貸借いらい今日まで一厘の支払もなく催告を無視しているから契約を解除し明け渡しを求める』という明け渡し請求がなされ、これに対し、会社は昭和三四年一二月七日付の回答書において、『再三の催告にもかかわらず今日にいたり誠に申訳けありません。御申込の借室立ちのきの件については二週間以内に立ちのき滞納室料は月末までに支払う』旨を回答し、同一一日から目黒に移転した。

しかしながら、会社にとつて目黒分室で業務を行なうことが、建物の広さおよび立地条件からみて困難であるうえ、また当時の会社が営業不振であつたとは認められず、しかも昭和三四年九月八日の賃貸借契約書作成の際にも、該契約の効力を同年四月一日に遡らせながら、この間の賃料不払いが不問にされており、かつ賃貸人Bは、Aの実弟が社長であつて、A自身かつての社長であつたような同族会社の関係などから考えれば、鳥が飛び立つように目黒分室に移転する必要は、他に特段の理由がない限り首肯し難い。そればかりか、一旦目黒分室に移転しながら、急きよ組織を再編成して、従業員の大半を小島ビルに復帰せしめたことは、組合員を目黒分室に島流しするための配置転換であつたと認めるのが相当であり、会社の主張は理由がない。

二　次に会社は、目黒分室への移転後、組合員に対してのみ昭和三四年一二月一七日から昭和三五年一月一〇日まで営業命令による休暇措置をとつたので、これをもつて、不利益な措置として非難さるべき筋ではないと主張する。

しかしながら、ことさら組合員に対してのみ、前例を破つた休暇命令を発した理由をなんら説明することもなく、しかも、この点についての団体交渉を拒否して、組合員が休暇中に出社することをも拒み、またC専務が目黒分室へ移転後、『Mは新三菱重工に就職が決まつた』と虚偽の事実を従業員Nを通じて流布して組合員を動揺させ、D営業局長が組合員に『君たちの身分がどうなるかは、休暇期間が終つたとき会社にきてみればわかる』などと言い、休暇明けで出社した組合員に対しては、従前の業務を与えなかつた。また、昭和三五年一月七日、E編集局長代理が組合員Sを自宅に訪ね『しばらく田舎（宮崎県）に帰つていろ、そのうちじつとしていれば、もとどおりの仕事が与えられるかも知れない』と組合からの離脱を促したいきさつなどの諸事情からみても、本件休暇命令を発した真意は、組合活動を封殺するとともに、新設した分散会社へ非組合員と組合脱退者のみを就業させるためであつたと解するを相当する。

三　会社は、申立外の第三者である新会社へ就労をさせることの救済を求めることは、法律上許されないと主張する。

しかしながら、別個の会社が新設されたというけれど、企業の実体は従前と変ることなく温存せられており、単に会社の個々の職場ごとに、一つづつの独立の企業としての形式をかぶせたにすぎず、会社と新設三会社とは実質上全く同一である。

（中　略）

これを要するに、会社は、組合（分会）の結成以来終始一貫組合活動を極度に嫌悪し、労働組合の存立を全く否定し、会社組織の改組をふくむあらゆる手段を講じて組合の壊滅策をはかり、残存した組合員を会社解散を理由に解雇した。このように、組合対策の一環として解散を偽装し、組合員を排除して再編成された企業に、組合員以外の従業員のみを雇用して事業を継続する行為は、労働組合法第七条第一号に該当する不当労働行為であり、また組合に対する支配介入はまことに顕著であつて、労働組合法第七条第三号に該当するといわなければならない」(日本写真通信社事件、東京地労委決昭三五・一〇・六命集(二二・二三)二五)。

【20】「株式会社自立経済通信社」(以下「会社」という)(従業員二九名)は、もと鉄鋼業界、貿易業界を対象とした日刊紙「自立経済特信」と月刊誌「鉄の時代」を刊行していたが、昭和三五年一二月三日従業員一四名が労働組合を結成した。

組合は、結成と同時に会社に年末一時金二ヵ月分(従来は一ヵ月分であった)を要求して団体交渉を求めたが、会社側は、「わが社には労使関係はないから組合はいらない」とか「二ヵ月分などでるはずがない」「いまや組合が解散しなければ会社は解散せざるを得ない状態にある。指導者である委員長は自発的に退職すべきだ」といって、誠意をもって団体交渉を行なわず、年末にいたって一時金の一部を支給し、残額は、新春に経営協議会で審議することを約束した。

しかし、新年になっても、会社は、組合との交渉に応じないばかりか、内密に会社解散の手続を進め、一月二三日臨時株主総会を開き、「創立以来配当をしていない、役員報酬を支払っていない、役員・株主からの借入金に対する利息さえ支払えなかった、積立金二〇二万円に対し借入金が四五一万円に上っている、かかる現状では将来の望みがない」という理由で解散を決議した。

これに先立ち、一月九日「株式会社鉄の時代社」を設立し、同月二三日月刊紙「鉄の時代」の出版および営業の権利を同会社に譲渡し、また二月五日には「自立経済特信社」を作って、そこから日刊紙「自立経済特信」を発行するにいたった。

そうして、一月末「株式会社自立経済特信社」は、組合員に「会社は解散し、雇用関係は切れた」と速達で通告している。

「1　本件被解雇者らは、三十六年一月三十日から三十一日にかけて会社解散を理由に解雇された。しかし、会社の解散について、会社は、経理状態の悪化がその原因だというが、これに関して首肯せしめるに足る具体的事実の疎明は極めて不充分であり、かえつて、組合員であつたものだけが解散を機に解雇されている事実などからすれば、団体交渉の拒否におけると同様に、もともと強い反組合的意図をもつ〔社長A〕が、その意図を、会社解散による組合員の解雇、それに伴う組合の圧殺の手段によつて実現しようとしたものとみるのが妥当である。

2　次に会社は『自立経済特信社は会社解散後Aが個人で経営しているもので会社と関係がない。したがつて組合員のもどるべき場所がない』と主張する。しかし、自立経済特信社は会社の解散決議直後に設立されたものではあるが、その自立経済特信社は、采配はAがとり、経理面はBが担当し、会社から五名の従業員が移つているほか、一二名の新規採用を行つて『自立経済特信鉄鋼版』を発行しており、しかも、この鉄鋼版は奥付が『株式会社自立経済特信社』から『自立経済特信社』と改まつているだけで、題字はもとのとおりであり、復刊のあいさつの中では、一月二十六日まで発行した『自立経済特信鉄鋼版』の継続であると断わつているくらいで、本社、支社（大阪）の所在地、電話、振替口座など従来と変りなく、結局会社組織が個人組織に改まつただけで、Aを主宰者として同一の事業が営まれていることに変りはない。A自身も、会社がなくなればその発行権が自分の手もとに戻るのは当然であるとして、会社経営から個人経営に還元したことをはつきり認めている。

また鉄の時代社は一月九日会社の雑誌部門を独立させて設立されたものであるが、その陣容をみると、会長はA、取締役はB、そのほか非組合員から登用された会社関係者で、社員は会社から七名が横すべりし、これに新規採用四名を加えている。しかも出版物は、名称、体裁、形式等すべて会社発行のものと同じで、ナンバーは号を追つたものを出しており、仕事の場所、使用する材料、機械、電話、得意先等少しも従来と変つていない。したがつて、鉄の時代社もまた会社の一つの分身と認められる」（自立経済特信社事件、東京都労委決昭三六・九・七命集（二四・二五））。四六とする判例などがある。

右のケースとは、やや態様を異にするけれども、

【21】 福岡徳有限会社は、繊維製品の染色加工を業とする会社であるが、その従業員のうち見習工四名を除いた型置工一一名は、労働組合に加入している。有限会社は、組合員に対し昭和三二年三月一九日組合員を解雇したが、組合と四ケ月後に再雇用する旨の協定を締結した。

ところが、社長は、同年三月三一日有限会社を解散し、翌四月一日福岡徳株式会社を設立したのであるが、右協定を結ぶとき、すでにこの意図があつたにもかかわらず、これを秘匿していた。

「有限会社は、分会が結成された後、被解雇者らの活発な組合活動を嫌悪し、その活動を封じんがため、第二工場閉鎖による七名の希望退職者募集を組合に申入れたが、組合の強力な反対を受けるや、続いて全工場閉鎖による組合員十名の解雇を申渡し、その結果、有限会社は、組合との間に締結した同年三月一日付協定により四名の組合員を希望退職せしめたほか、かつ、協定直後被解雇者を除いた三名の組合員をも説得して退職せしめ、最後に同月二十九日付協定により、終始活発な組合活動を行つてきた被解雇者をも解雇した。

しかるに、右協定締結の十数日以前、既に有限会社を解散して、新たに会社の設立を計画し、ひそかにその準備をしていながら、組合側にはこれを秘して、有限会社が営業を継続するかの如く装うことにより、被解雇者を四ケ月以内に再雇用する旨の条件を付した前記協定を締結し、その翌々日有限会社を解散するとともに、更にその翌日会社を設立しながら、その事実をやはり組合側に秘し、四カ月近くも経過した後、初めて、被解雇者に有限会社は解散したので、再雇用できない旨通告したのであつた。

かかる事実からみれば、有限会社は、被解雇者を排除する手段として、前記協定書の締結、有限会社の解散、会社の設立という一連の行為を巧妙に計画し、組合を欺罔し、もつて被解雇者の解雇を承認せしめたものと判断せざるを得ないのであつて、右の行為は、労働組合法第七条第一号に該当する不当労働行為である

ことは極めて明瞭である」（福岡徳事件、京都地労委決昭三三・六・三〇命集(一八・一九)一三三）。

とのケースも、この類型にいれることができる。

(四)　工場・事業場閉鎖の場合　企業活動の全面的廃止を伴う解散について述べたところは、企業を構成する一部分の工場・事業場を閉鎖し、これを理由として解雇する場合にもひとしくあてはまることである。ただ、工場・事業場を閉鎖するにすぎないときは、残存している工場・事業場への配置転換ということが考えられるので、不当労働行為の成否を判定するにあたつて、このことが考慮されるわけである。判例によれば、

【22】　昭和二九年一一月末Y会社の従業員二八名中二三名が労働組合を結成したが、「社長Aは、右組合の結成によつて将来組合運動の名の下に作業能率が低下し、之によつて事業成績が悪化することを憂えると共に、之等従業員の団結並に之に対する上部団体の支援等による労働者側の力の増強は、自由なる人事・経営の管理を阻害するものと考えて、右組合の結成及び之が活動を心よしとせず」、組合結成や組合活動に反対である旨を述べ、また、Aの意を受けた工場長Bは、暗に組合の解散を要求している。

組合は、昭和三〇年七月から八月にかけ、夏期手当を要求し、争議行為を行なつて、一五、〇〇〇円を獲得したが、会社は、業態の悪化したときに夏期手当を要求し、実力行使をしたことに深い憤激をいだき、企業再健のための人員整理に併せて、組合勢力の一掃とその活動を終息させるため、九月四日全従業員を即時解雇した。

会社は、Bら数名とAの家族などで製品の荷造り、発送等の整理を続けていたが、九月一六日頃から元従業員の一部五名を再採用するほか、二名を新たに雇用して、従前どおりの事業を継続している。

「組合が、〔前記夏期手当要求の〕争議をしたことの故を以つて、同組合一掃を図るために行なつた前記解

雇は、労働組合法第七条第一号に該当する不当労働行為である」（福井計器事件、福井地労委決昭三一・一一・三〇令集一五・六三）。

【23】　Y会社の従業員五二名が五月七日労働組合を結成したところ、五月一一日社長Aは、従業員が働いている工場に突如入つてきて、全員集合を命じ、経営不振のため全員を解雇する旨宣言した。工場閉鎖のやむなきにいたつた事情は従業員に説明されておらず、客観的にも、そのような事情があるとは認められない。そうして、解雇いい渡しのときは、

「社長Aは相当興奮しており、工場に入るや否や、自ら全員の集合を命じ、『経営不振のため全員解雇。一カ月の予告を申渡す。但しこの一カ月は臨時休業として、おれのポケット・マネーから六十パーセントを支払つてやる。全員退場、早く出て行け』と大声し、工員らが私物の整理さえ出来ずに追われる如く工場外に出て、近くの不動神社に引揚げようとする後を追つて、『わしは興奮しているから、どんなことを言つたかわからないが、経営不振によつて解雇するのだぞ』と言い、しかも解雇言渡し直後、『おれは今三百万円も借金があるのにあほうなことをした。早く出て』と叱責している。」

「もし、本件解雇がY会社の主張のような〔従業員〕B・Cの不正行為を直接の動機とする工場閉鎖に伴う真にやむを得ないものであるとするならば、これは全く会社側、ことにこれを監督する社長自らの責任であつて、工員の責任でなく、もちろん工員に対し、『あほうなことをした』等と叱責的に言い得る筋合ではない。」

これを総合すると、経営が困難になつたという事情はうかがわれるにしても、「結局それは工場閉鎖の一因をなしたというに止まり、本件解雇の決定的原因は、Kらが労働組合を結成し、これに加入したが故であるとの結論に達せざるを得ない」（井上繊維事件、奈良地労委決昭二七・一〇・二三令集七・四二）。

【24】　Yは、鉄工場の事業主であるが、その従業員が労働組合を結成しようとしているのを聞き知り、組合結成の主唱者に結成を思いとどまるよう説得し、また七月一二日組合結成大会に出席して、結成を二カ月

延期するよう要請したため、結成は延期された。翌一三日Yは、組合結成の主唱者ということおよび組合が強くなるという理由で、A・Bを解雇したところ、組合結成の気運が強まるや、八月一八日従業員全員を集め工場閉鎖を宣言し、その後全員解雇の手続をとつた。その後組合は結成されたが、Yは、組合を脱退すれば、解雇を取り消すと言明している。

「〔これらを〕総合すると、Yは、専ら従業員の労働組合結成を嫌い、従業員が労働組合を結成しようとしたことを動機として、工場閉鎖を仮装し、本件全員解雇の挙に出でたことを推認するに十分である。

Yは、右従業員の解雇は、事業継続不能のため、事業を廃止した結果であつて、止むを得ざる処置であつたと主張するが、〔証拠によつても〕、事業継続不能とは考え得ないし、却つて、Yの右解雇の意思表示は、……従業員が組合を結成しようとしたためになされたものと認められるから、Yの右主張は採用しない」（尾三鉄工所事件、名古屋地決昭二六・一〇・一一労民集二・四・四四六）。

として、不当労働行為の意図を端的に認定して、差別待遇が成立すると判定したケースがある。また、企業継続の事実ないし意思を考慮し、

【25】「X労働組合は、Y会社に対し、昭和三〇年二月頃協約締結のための団体交渉を申入れたが、交渉を拒否したり、誠意ある交渉をなさず、八月以降地労委のあつ旋案も拒否したままになつている。組合は、さらに一二月一〇日協約締結、賃上げ、年末手当など六項目の要求を掲げてスト態勢に入り、交渉を拒否して魚釣りに出掛けた社長の誠意を疑い、団交を要求して事務所に坐り込みを行なつた。その間地労委のあつ旋により、一五日午後団交を行なうことになつた。

Y会社社長Aは、一五日午前口頭で株主総会を開き、会社の商号を変更し、会社目的の重大部門であるメリヤス針の製造および加工部門を廃止する旨の決議をした。

そうして、午後の団交の席上、Aは「けさの株主総会で、会社の製造部門を閉鎖することになつたので、

従業員全員を解雇する」旨宣言し、解雇通告をした。

T企業組合は、昭和三一年一月三日頃新設され、Y会社から閉鎖された工場の施設を一カ年契約で賃借し、元工場長ら一二名（非組合員）新雇三名をもつて、近隣に工場を構え、時間外勤務してまで生産活動を行なつている。

その他、A社長が組合に対し強に反感を持つていたことなどを考えると、本件解雇は、組合活動のゆえになされたものということができる」（寺内機針事件、徳島地労委決昭三一・四・二五命集一四・三八）。

【26】　病院の従業員が労働組合を結成し、待遇改善の要求を行なうため団体交渉の申入をしたところ、組合が総評に加盟したことを非難して団体交渉を拒否し、併せて病院閉鎖をほのめかし、組合の結成二週間後に「病院の診療を停止して整理に入ることを決定し、とりあえず全従業員を一旦解雇し」、「非組合員を残務委員として残留せしめ、その後他より数名を採用した場合において」、多少の経営難はあつたが、組合結成前には病院閉鎖が話題にのぼつたことがないのみならず、他より貸付を受けて、組合結成当時には寄宿舎兼病棟の建設に着手するなど、「事務の整理によつて病院経営は好転の方向にむかい、しかも……積極策によつて、その発展が期待されていたこと」、争議発生により、貸付の一時中止、取引銀行よりの借入金返済請求、薬品商の薬品納入の躊躇などにより、経営の支障が予想されたが、それらの支障は、争議の解決により当然除去されるにもかかわらず、「使用者はこれに対する積極的な方策をとらなかつたこと」が認められるときは、「本件病院閉鎖およびそれに伴う組合員に対する解雇処分は、使用者が……組合結成を抑圧し、その団体交渉申し入れを頓坐せしめ、更に組合員のみを事業場より排除するため、経営難を理由に、病院閉鎖に名を藉りてなされたもの」と判断される（都島病院事件、大阪地労委決昭三一・一〇・一〇命集（一六・一七）八八）。

と述べているもののほか、

【27】　鋳造所の従業員六名全員が労働組合を結成し、一〇月二六日使用者に結成の通告をしたところ、使

用者は、組合結成を拒否し、全員解雇をほのめかして、工場大門を閉鎖し、二八日には休業をし（二七日は日曜日）、それまでは、設備改善による不況の克服と事業の存続を意欲していたと認められるのに、二九日企業の不振にもとづく廃業を理由として、従業員全員を解雇した場合に、その解雇が不当労働行為になる（釜吉鋳造所事件、石川地労委決昭三三・三・二六令集（一八・一九）九五）。としている例もある。

すなわち、これらにおいては、解雇後における事業場の再開あるいは解雇前における事業継続の意思の有無が、工場・事業場を閉鎖する意思の有無を判定する一つの要素とされているわけである。

さらに、さきに述べた配置転換についての努力を考慮にいれて、不当労働行為の成否を判定したケースとしては、

【28】　Y会社の従業員中八一名が昭和三〇年七月一二日X労働組合を結成し、会社と団体交渉を行なっていたが、社長Aは、組合役員に、「君等が一番組合の先立でやかましいから、一人づつ順序よく首を切つて行くから心得ておけ」とか、製樽部従業員に「君等は会社から製樽を請負わせるHの下請をするようにせよ」「しない場合には、いつでも解雇できる」旨放言した。

社長Aは、昭和三一年一月下旬製樽部作業所を一部移転する旨通告し、これについてX組合がY会社と交渉中、A社長は、製樽部を閉鎖し、二月六日製樽部従業員全員を解雇した。

会社は、経営上の理由で製樽部門を閉鎖したというが、会社の取締役間で製樽部門を閉鎖して請負制度に切換える意思が強くなつてきたことは認められるにしても、「会社が現在直ちに製樽部を閉鎖すべき緊急的要請に乏しく、他面製樽部閉鎖に際して、予めこれを回避するための手段を尽さず、又従業員に対する自発的他職種への配置転換、希望退職等の手段・方策について、従業員と特別な交渉は勿論、これに対する考慮

を促すべき時間的余裕すら与えていない」のであるから、経済的理由にもとづく閉鎖とは解し難い。してみれば、さきに認定した事実にかんがみ、本件閉鎖および解雇は、組合役員らが、「嘗て活発な組合活動を推進したことを理由として、又今後も活発な組合活動を為し、会社に対抗することを恐れ、これも排除する意図の下になされた」といわざるをえない（加賀屋商店事件、徳島地判昭三一・五・二労民集七・三・四八一）。

【29】　Y会社は、S町に本社と製材工場を、T市に製材工場を持ち、素材販売および製材を業とする株式会社であり、X組合は、同地区の工場労働者をもつて組織する労働組合であつて、Y会社の従業員A・B・C・D・Eが右組合に加入している。

Y会社は、昭和三一年八月一八日事業不振を理由として、S工場を閉鎖することとし、これに伴い、A・B・C・Dに解雇予告を行い、九月四日Eに解雇予告を行なつた。

「Y会社は、日頃から従業員の組合加入若しくは組合活動を嫌つて、その脱退を慫慂したり、組合活動を制限しようとする等、組合に対し支配・介入をしていた。」

「Y会社は、……S工場を閉鎖し、その従業員を極力T工場に向けるよう努力したが、従業員の家庭的な問題もあつて、所期の方針通り運営できず、S工場の工員を解雇して、T工場で新らしく従業員を雇用せざるを得なかつた、と述べているが、……会社は、……S工場よりT工場への配置換え等に関し、従業員との間に何等の話合その他の努力も行わ〔ない〕。……

会社提出の決算書その他木材界の情況から考えても、S工場を閉鎖しなければならぬ程企業内容が悪化していたものと判断するわけにはいかない。」

会社は、S工場を一時休止し、残務整理を行なうといいながら、これを行なつていない。

Y会社社長Kは、同年九月二〇日番頭IにS工場を賃貸し、一〇月一日以降I製材所として事業を行なつているが、Iは、工場を借受ける意思がなく、「材料は総てY会社より提供され、製品を販売し、集金してからＹ会社に支払つている」し、「事務員Ｆの雇用関係……が、Ｙ会社の被雇用者か、Ｉ製材所の被雇用者か明確でないこと等を考えても、右企業が会社よりＩ個人に移つたものとは考えられない。」以上の事実によれば、「昭和三十一年八月十八日ならびに同年九月四日会社が行つた解雇予告は、組合員を排除し、非組合員のみを継続雇用して組合の壊滅を意図するものにほかならない」（吉田木材事件、奈良地労委決昭三二・八・九命集〔一六・一七〕一六）。

とされた例がある。

なお、非組合員や活発な組合活動をしなかつたものだけを配置転換させることが差別待遇が成立するための要件事実とならないまでも、その成立を認定する一つの要素となることがある。すなわち、

【30】　Ｙ鉱山の従業員が労働組合を結成し、Ａを組合長として、Ｙに賃金値上の団体交渉の申入をしたところ、Ｙはこれに応じなかつた。そこで、組合は、Ｙ鉱山の鉱業権の名義人であるＭに、賃金値上のあつ旋を依頼したところ、Ｙは、これはＡのとつた措置であるとして、Ｙ鉱山Ｚ工場を閉鎖し、従業員全員に解雇を申渡し、男子従業員三名中二名をＹ経営の他の職場に配置転換させ、Ａだけを解雇したのは、労組法七条一号に該当する（森本鉱山事件、愛知地労委決昭三二・三・六命集〔一六・一七〕一四五）。

との判例がある。

（五）　休業の場合　　これまでみたように、解散もしくは工場・事業場の閉鎖を理由として解雇するということは、労働者の就労する場所がなくなつたことを理由とするものであるが、使用者が休業することも、就労の場所が（一定期間にもせよ）なくなる原因である。それで、休業を理由とする解雇についても、（四）と同様なことがいえる。たとえば、

【31】　Y会社の従業員が労働組合を結成し、七月六日これを会社に通告したところ、七月一一日朝B専務取締役が工場事務所を訪れ、N委員長に組合結成の動機を質問した。N委員長が三〇分くらい後に回答に赴いたところ、B専務は赤字経営のため、七月一二日から工場を臨時休業すると通告し、その旨職場に掲示した。一一日夜Nらは社長A、専務Bらと会談の結果、今回の休業はBの独断であつたので取り消すこととし、休業問題は、七月一九日全従業員が集つて話し合うことにした。

翌一二日A・Bが臨時休業の掲示板を降すため工場に赴いたところ、組合員が一人も就業していないのを見て、い合せたNに、一三日から当分の間臨時休業する旨通告した。

七月一三日組合は会社に休業に関する団体交渉を求めたが、社長不在のため交渉が行なわれなかつた。組合は地労委にあつ旋の申請をしたが進捗しなかつた。翌一四日組合役員四名が会社に出頭したところ、赤字経営を理由に、Nを除く全組合員八名に即時解雇の通告をした。

会社は、赤字経営のための金融杜絶が休業・解雇の原因であるといつているが、解雇後一五万円を借り受けている。

C職長は、工場における材料の購入、製造、販売一切を一任されていて、経営陣における家具商として唯一の玄人であつて、純粋に経営上の理由にもとづく臨時休業あるいは工場閉鎖に近い大量解雇であれば、必ず相談にあずかるはずなのに、その事実は全くない。

また、会社側に組合切崩しの行為のあつたことが認められる。

これによると、「会社の経営が赤字であつて、早急に何等かの強力な打開策を講ずる必要に迫られていることは認められるが、今次会社側のとつた休業から解雇に至る一連の行為は、純然たる経営上から考えられた手段ではなく、組合結成を嫌忌し、その弾圧の手段としてとられたものであり、労働組合法第七条第一号に違反する不当労働行為と断ぜざるを得ない」(大同家具事件、広島地労委決昭二一・八・一〇・二〇令集九・一二三)。

として、休業を理由とする解雇について、不当労働行為の成立を認めた判例がある。

三　不当労働行為の成立が認められなかつたケース

以上において、解散もしくは工場・事業場の閉鎖を理由とする解雇について不当労働行為の成立を認めた判例をみてきたわけであるが、これに対し、不当労働行為の成立を否定した判例は、いずれも、使用者に、経営上解散もしくは工場・事業場の閉鎖など労働者の提供した労務を受領することを不可能ならしめるやむをえない事由があることを認定している。

たとえば、【2】【3】の判例などは、その例であるが、なお、二、三例示するならば、

【32】「会社は、昭和三十三年一月三十一日当時、既述の如く多額の負債と赤字に苦しみつつあつたのに加え、同年二月以降、人員整理をめぐる激烈な労働紛争に明け暮れ、生産活動は殆んど全くまひし、減退しつつある受註量の達成すら困難となり、信用は低下し、最早、受註の増加も銀行融資も望み難く、業界の好転も見透し困難となつた為、已むなく四月三日大株主及び役員間の協議により事業廃止を決議し、同月九日事業廃止、翌十日全員解雇を発表し、越えて同月二十六日会社解散決議をしたことが認められる。組合は右事業廃止、会社解散は、組合幹部の排除を内包する偽装行為であると主張するも、之を認めるに足る資料は発見することができない」（丸大撚糸事件、石川地労委決昭三四・三・二四命集(二〇・二一)二二六、同旨、同事件、中労委決昭三四・一二・一六命集(二〇・二一)四三四）。

【33】Y会社の従業員は、昭和三三年一二月労働組合を結成し、翌三四年九月合同労組の支部となつた。会社は、昭和三五年一月五日取締役会で解散の方針を決定し、同月八日組合員全員を解雇し、同月二九日解散決議をした。

「右組合結成に際し、主導的役割を演じたのは、年令的に若く、技術的には比較的未熟な工員達であり、主として係長以上の職場で指導的な地位にある年輩の従業員等は、まつたく組合結成のための相談から除外さ

れたところから、これらの者は組合に加入せず、組合に対しむしろ批判的な態度をとつていた。その後、組合は昭和三四年三月中旬から四月上旬にかけて一律月間二、〇〇〇円のベース・アップを要求して春季闘争を、同年六月上旬から七月下旬にかけ一時金日給四〇日分を要求して夏季闘争を、また同年一一月上旬から同年一二月二六日にかけ一時金日給四〇日分を要求して年末闘争を各実施し、それぞれ若干の成果を挙げた。しかし、右各闘争中組合の闘争方針に批判的で、どちらかと言えば、Y会社の経営方針に協調的な態度をとる非組合員等と組合員等との間に漸次対立的な感情がかもされ、それが闘争終了後にも固定されていくようになつた。そして、昭和三四年春期闘争のさい、非組合員二名が、Y会社で組合員から暴行を受け、刑事事件が発生し、また、同年七月頃夏期闘争中に組合の行き方に不満を感じて組合を脱退した一組合員に対し、組合員等が度を失した強硬、執ような難詰を加えたことがあり、さらに、同年秋頃組合員等全員は、非組合員を友達に持たない旨の誓約書をとり交すようなことまで行われ、いきおい非組合員等も固まつてグループをつくるようになり、両者の分裂離反はますます深まつた。このような事態は、当然職場の空気にまで反映し、組合員の中には職場で指導的な地位にある非組合員等に対し粗暴な態度をとつたり、また非組合員である上司の作業上の指揮に従わず、勤務時間に十分な作業をしなかつたり、上司の忠告に対し、かえつて多数を頼んで抗議し、あるいは作業中の非組合員に物を投げつけて作業を妨害するものがあらわれた。したがつて、職場の秩序が損われ、生産能率も昭和三四年七月頃からかなり低下して行つた。

前記のように、Y会社においては、組合が結成されて以来争議に終始していたうえに、従業員間のあつれきが深化し、職場秩序も損われた結果、生産能率も低下し、製品の納期遅延や品質不良を招来し、親会社たるS会社からの苦情も重なつてきたが、右事態に遭遇して、Y会社社長Aは次第に経営意欲を失い、昭和三四年秋頃から事業廃止を考慮したこともあつたが、Y会社取締役B、S会社H出張所長等の慰撫によりこれを思い止まり、同年末の前記年末闘争妥結後は、新年度からの再出発に一応の期待をよせていた。

ところが、非組合員等の中で、部下である組合員等を指揮監督すべき立場にあつた職制達は、会社に対する自己の職責を全うし得ないことに責任を感じ、あるいは前記不明朗な職場の空気に耐え難いとして、昭和三四年一二月二八日頃係長Kほか三名がY会社A社長宛退職届を提出し、A社長の慰留にも応ぜず、更に翌昭和三五年一月五日までの間に残りの非組合員のうちの多数が、順次退職を申出で同月六日にはついにその全員が退職を申出るに至つた。Y会社工場は、おおむね年令の低い技術的にも未熟な工員が多かつたため、右のように技術的に優れ指導的立場にある役職員全員が退職した場合には、事実上操業は困難であり、かつ、右退職者に代わる技術者を早急に補充することは、Y会社のごとき中小企業においてはほとんど不可能なことであるため、A社長は、右事態に立到つて遂に工場の経営を廃止する決意をした。

そこで、Y会社においては、昭和三五年一月五日Y会社社長Aほか取締役三名出席して取締役会が開かれ、会社解散の方針が決定され、同年の操業開始予定日である同月七日A社長より従業員に対し解散方針を発表し、翌八日組合員全員に対し解雇の意思表示がなされた。次いで一月二九日株主総会が開催されて会社解散が決議され、その後清算手続が進行中である。」

他面、A社長は、組合結成の直前、従業員に対し、組合を結成するなら直ちに工場を閉めるとか、昭和三四年四月五日春季闘争の団体交渉の席上、いうことをきかないなら工場を閉鎖すると言明し、同年六月二日の夏季闘争の席上、これで気にいらないなら他へ行つてくれ、これ以上工場を経営する気はない、などと放言したことが認められる。

「これらの事実に徴すると、A社長は、組合の存在ならびに組合活動をかなり嫌つており、組合への対抗手段として、屡々事業場閉鎖をほのめかしていたのであるから、前記のようにA社長主導のもとになされた事業廃止ならびに解散の方針決定は、前記Aの発言と符節を合するごとくである。

しかしながら、前記非組合員の職制等が退職を申出たことにつき、同人等と会社側間に何等かの意思の連絡があつたことを肯認するに足る資料はない……。

むしろ、前段で認定したY会社解散の経緯からみると、本件解雇は、社長Aが、組合結成以後社内における組合と非組合員間の深刻なあつれき、職場秩序の乱れ、それに基因する生産能率の低下のため、次第に経営意欲を失いつつあつたところ、昭和三四年末から翌年の初頭にかけてY会社工場における指導的地位にある技術優秀な役職員全員等が退職申出をなす事態に遭い、もはや工場操業継続が殆んど不可能なのを見て取つて、全く経営意欲と自信を喪失した結果、Y会社の事業廃止、解散の方針を決定し、それを前提としてなされた解雇とみるのが相当であつて、……組合員全員を解雇して組合を壊滅する意図を決定的原因とした解散にもとづくものではないというべきである……。しからば、本件各解雇は、不当労働行為に該らないというほかはない」（小畑鉄工所事件、大阪高判昭三七・六・七労民集一三・三・六九七、〔13〕の判決の控訴審判決）。

などがそれである。

四　総合的考察

これまでに掲げた判例を総合して、いかなる場合に、解散もしくは工場・事業場の閉鎖などを理由とする解雇について不当労働行為の成立が認められているかということを考察しよう。

（一）　まず、使用者の不当労働行為の意図を推測させる事実として、他の類型の不当労働行為、たとえば、組合に対する支配・介入（判例〔4〕〔13〕〔14〕〔19〕～〔22〕〔24〕〔26〕〔28〕〔29〕などはその顕著な例で、他のケースにもこの要素が多かれ少なかれ含まれている）、団体交渉の拒否（判例〔12〕〔18〕〔25〕〔26〕〔30〕〔31〕など）の存在すること、解散もしくは工場・事業場の閉鎖が、組合の結成あるいは顕著な組合活動の最中、もしくはそれが終了した時期に接着してなされたこと（判例〔4〕〔12〕～〔15〕〔18〕〔20〕～〔27〕〔31〕など）、使用者が解散もしくは工場・事業場を閉鎖する際に、組合結成や組合活動に対する報復としてこれを行なうというがごとき不当労働行為の意図を表現した言動をなすこと（たとえば、判例〔23〕〔24〕）など、積極的要素が存しなければならない。

（二）　これに対し、解散もしくは工場・事業場の閉鎖がやむをえないと認められる程度に、経営不振・財政困難におちいっていると認められる場合には、解雇は、かような経営上の理由にもとづくと認められる場合が多く（判例〔2〕〔3〕〔32〕〔33〕）、その経営上の理由が解雇の決定的原因と認められる限り、使用者に組合対策として解散→解雇を行なう意思があっても、不当労働行為は成立しない（判例〔33〕の）。

これに対し、たとえ経営不振・財政困難の事実が多少認められても、解散もしくは工場・事業場を閉鎖するほど深刻なものではないとき（判例〔15〕〔18〕〔29〕など）、かえって、解雇後業績があがっているとき（判例〔14〕）、あるいは、解雇直前までは、経営上の困難を打開して、企業を継続する意思を有していたと認められるとき（判例〔26〕〔27〕）などには、不当労働行為が成立するとされている。

その際、使用者が経営不振・財政困難を打開するための努力をし、あるいは労働者の配置転換に考慮を払ったということは、使用者に有利なファクターとなるであろうし、これに対し、これらを怠ったことは、不当労働行為の意図を認定させる要素となる（判例〔26〕〔28〕〔29〕、およびこれについての説明を参照されたい）。

要するに、経営不振・財政困難などの事実があるにしても、組合を壊滅させる意図が決定的原因と認められるときは、不当労働行為が成立するとされている（判例〔23〕はこのことを明かに判示している）。

（三）　さらに、使用者が解散または閉鎖した企業と実質的に同一性があると認められる企業を設立し、これによって経営活動を継続している場合には、旧企業を解散または閉鎖する経営上の理由がなく、したがつて、組合対策としての解散もしくは閉鎖――これに伴う解雇――と認められるであろうし（判例〔15〕〔17〕～〔20〕〔22〕〔25〕〔29〕）、とくに、解雇後、非組合員や新規採用者をもつて企業を継続している場合（上記各判例のほか〔26〕参照）には、組合員を排除するための解散もしくは閉鎖と認められることになる（三藤正・組合活動と整理解雇一二三頁以下参照）。

三　解散もしくは閉鎖を理由とする解雇と救済命令

一　緒　言

解雇が不当労働行為となる場合には、労働委員会は、解雇の取消と原職復帰ならびに賃金の遡及支払を命ずるのが通常であるが、企業が解散し、もしくは工場・事業場が閉鎖されたときは、復帰すべき職場がなくなつているか、もしくは新企業によつて承継されていて、通常の原職復帰を命じえないか、またはこれを命じても、救済の目的を達しえない場合がある。そこで、労働委員会は、どのような救済命令を発しているかを検討しよう。

二　解散だけが行なわれた場合

解雇後解散が行なわれた【12】のケースについて、決定は、「解雇の取消と解雇の日から解散の日までの賃金の支払」を命じ、また【13】のケースについては、決定は、【10】で述べた理由にもとづき、「被申立人は、その事業を再開したときは、被解雇者を解雇当時と同等の労働条件で復職させなければならない」と命令している。すなわち、これらのケースでは、復帰すべき職場がなくなつたことに着目し、前者は、賃金の支払のみを認めるのに対し、後者は、解散が仮装された点に着目し、事業の再開を予想して、救済方法を考えているわけである。

三　新企業が存する場合

これに対し、解散された企業の人的および物的組織を承継し、実質的にみてこれと同一性を有する企業が引き続き存続する場合には、この新企業に対して救済命令を発しているのが通常である。たとえば、

【34】Y会社を解散し、その従業員を解雇したが、Y会社の独立の事業場であるA・B・Cを、それぞれ解散前と同じ組織で、別個の企業として、経営を継続しているケースにつき、

「A・B・Cは解雇当時の使用者でなく、従って解雇を決定した者ではないけれども、労組法第七条及び第二十七条は、旧労組法第十一条が刑事責任を問題としたのと異り、不当労働行為に民事的救済を与えるのを制度の本旨とするものであるから、A・B・Cが〔Y会社の〕労働関係を承継して、現在〔被解雇者〕の使用者であると認められる限り、これに対し救済命令を発するのは当然である」

という理由にもとづき

「A・B・Cは、申立人組合が被救済者として主張している者のうち、本命令書交付の日から二週間以内に就業の申出をした者に対し、それぞれ別紙目録の区分〔(注) 旧A・B・C各事業場とそこに勤務していた従業員の氏名を区分したもの〕に従い、従前と同等の地位及び労働条件で就業させ、かつ昭和二十七年二月二十五日のY会社の解散時以後、右就業に至るまでの間において受くべかりし給与相当額を支払わなければならない」(福岡観光ホテル事件、福岡地労委決昭二七・六・五命令集六・三九)。

とするもの、あるいは、新・旧両企業に対し、【20】のケースにつき、

【35】「会社と鉄の時代社と自立経済特信社とは、いずれも同一の実体をもつものと認められる」ことを理

由に、

「被申立人〔株式会社自立経済特信社および株式会社鉄の時代社〕は、申立人組合の組合員〔Fほか一二名〕を、それぞれ被申立人会社または自立経済特信社において、原職または原職相当の職に復帰させ、同人らが解雇された日から原職または原職相当の職に復帰するまでの間受けるはずであった賃金相当額を支払わなければならない」（前掲〔20〕自立経済特信社事件）。

とするものなどがある。

これに対し、旧企業に対し、救済命令を発している例としては、【18】のケースにつき、

【36】「被申立人会社は申立人組合の組合員Tほか一六名を、原職もしくは原職相当職に復帰させ、同人等がそれぞれ解雇の日から原職もしくは原職相当職に復帰するまでの間受けるはずであった給与相当額を支払わなければならない」（前掲〔18〕英語通信社事件）。

との決定がある。

それでは、裁判所は、これらの救済命令をどのようにみているであろうか。つぎの判例は、いずれも緊急命令の申立に対してなされた判断であるが、裁判所の考え方を知るよすがになるであろう。

【35】の救済命令について、

【37】「被申立人〔株式会社英語通信社〕は、……申立人〔東京都地方労働委員会〕が……した命令に次の限度で従わなければならない。

(イ)　被申立人は、Tほか一六名が被申立人から解雇の意思表示を受けた当時の職又はこれに相当する職を従前と同一の労働条件のもとに、有限会社英通社……において得られるよう誠実に努力すること。

(ロ)　被申立人は、前項の努力にもかかわらず、その結果の実現が客観的に不可能な場合には、右一七名を同人等に対する解雇の意思表示前と同一の労働条件の下に、被申立人の現に行つている業務に従事させること。

(ハ)　（省　略）　」（英語通信社事件、東京地決昭三五・八・三一労民集一一・四・九二四）。

【34】の救済命令について、

【38】「労働組合法第二十七条の規定の解釈からすれば、不当労働行為に関する労働委員会の救済手続において、申立の相手方たり得るのは、同法第七条各号所定の不当労働行為の主体たる使用者（法律上使用者の地位に承継が生じた場合には、勿論その承継人）に限らるべきであつて、不当労働行為の客体としてその成立要件をなす特定の労使関係につきなんらの地位も有しない第三者は、たとえ労働者の団結に侵害を加えようとも、右救済手続における申立の相手方とはなり得ないものといわなければならない。なるほど右救済制度の趣旨は、不当労働行為による労働者の団結侵害を端的に排除するにあるのであるから、労働委員会は、その救済方法につき広汎な裁量権を有するとともに、その裁量の過程において、必ずしも不当労働行為が労使間の権利義務に与えた法律上の効果に拘泥するを要しないこと勿論であるとはいえ、これを根拠に救済申立の相手方たる適格を欠く労使関係の第三者に原状回復義務を課することが許さるべきいわれはないのである。

ところが本件救済命令は、申立人〔労働委員会〕がこれを発するにつき判断の基礎とした事実からすれば、要するに、特信社が組合に加入するその従業員を解雇したことを以て、労働組合法第七条第一号の不当労働行為に当るものと認め、被申立会社〔株式会社鉄の時代社〕及びAの『自立経済特信社』なる個人企業が形式上はともかく、実質上は特信社と同一企業体であることを理由に、右被解雇者の特信社又は被申立会社もしくはAの個人企業における原職（又はその相当職）復帰及び賃金相当額の支払（いわゆるバック・ペイ）を、使用者たる特信社だけでなく、その労使関係の第三者たる被申立会社にまで命じたものであるから、その内、特信社に対する部分はさて措き、少くとも被申立会社に対する部分は、本来救済手続の当事者たる適格のない者を名宛人とした点において違法たるを免れない。もつとも、申立人は被申立会社をその名宛人とするにつき、被申立会社が特信社と同一の企業体であることを理由としているところからして、被申立会社を以て、前記労使関係における実質上の使用者と目したるものと解されなくはないけれども、かような場合においても、右労使関係につき法律上第三者たるを失わない被申立会社を救済命令の名宛人となし得る法理論上の根拠はないのみならず、申立人が認定したところによつても、右企業の同一性は、特信社と右被解雇者との間に労使関係が生じる以前から存したものではなく、その後に至り特信社が月刊雑誌『鉄の時代』の出版部門につき出版及び営業に関する権利譲渡の形式を践んで企業の実体を被申立会社に移したことを起源とするものでありながら、一方特信社が不当労働行為の意思を以て、右労使関係を消滅させるため、会社解散及びこれを理由とする解雇通告の挙に出たのは、更にその後の事実に属することになるから、申立人が右労使関係における使用者如何につき相当な判断に到達するには、すべからく右事実を前提として、特信社の使用者たる地位は、むしろ右企業主体の変動にあたつても、営業に関する権利譲渡の目的とならなかつたのは勿論、事実上も被申立会社に承継されなかつたものと推認してかかるべきであつたのであつて、かような推認を相当とすべき事実が存する以上、もとより被申立会社を以て、右労使関係における実質上の使用者となすべき根拠はないものというべく、いずれの点からしても、申立人が被申立会社を特信社と実質上同一の企業体であるという一事だけで、本件救済命令の名宛人とするに足るものと判断したのは早計にすぎたものという外はない。あるいは右企業主体の変動が右不当労働行為と関連なく行われたのでない点を洞察して、不当労働行為救済制度の精神に則り、被申立会社を法的にも使用者と評価すべきであるという見解をなす向もあるかも知れないが、理論上にわかに左袒し難いところである。

果してそうだとすれば、被申立会社を名宛人とした限度においては、少くとも違法というべき本件救済命令につき、被申立会社に対する緊急命令の発動を求める本件申立は、その余の判断をなすまでもなく、申立の理由において失当である」（鉄の時代社事件、東京地決昭三七・二・一四労民集一三・一・一〇三）。

としている。

かように、旧企業が解散し、その組織を包括的に、もしくはこれをいくつかに分割してその一部の組織体を承継したと認められる新企業が存続している場合に、なにびとを当事者とし、いかなる内容の救済命令を発すべきかということについては、かなりむずかしい法律上の問題があると考えられる。

この場合、解雇が先に行なわれ、新企業が新たに設立されて、旧企業の組織を承継したと認められる場合には、解雇を取り消して、その結果発生する労働関係を新企業に承継させるようなくふうがなされてよいものと考える。

また、新企業がさきに設立され、非組合員などだけをさきにこれに承継させ、残存した組合員などをその後に解雇したという場合には、むしろその雇用関係の承継に際して、まず不当労働行為（差別待遇）が成立すると考えるのが適当なのではなかろうか。【38】の決定が、不当労働行為を行なったもののだけが救済命令の相手方たりうると判示しているのは、一理あることであるが、【20】のケースに関し、もし労働委員会が、雇用関係の承継について不当労働行為の認定をしたならば、【38】の決定が述べている非難は免れえたものといえよう。

中央労働委員会裁定

昭27・11・12………… 7
昭27・12・17…………10
昭34・12・16……… 133

地方労働委員会裁定

京都昭25・3・31
………………50, 51, 52
神奈川昭25・10・12…26
群馬昭26・3・30………8
広島昭26・6・7………88
宮城昭26・10・12… 114
福岡昭27・6・5…90, 139
奈良昭27・10・23… 126
広島昭28・10・20… 132
徳島昭31・4・25……128
福井昭31・11・30… 126
愛知昭32・3・6…… 131
京都昭32・4・26…… 67
愛知昭32・7・18…12, 43
奈良昭32・8・9…… 131
大阪昭32・10・10… 128
石川昭33・3・26……129
京都昭33・6・30 ……125
石川昭34・3・24……133
東京昭35・4・30……119
長野昭35・5・4…68, 117
広島昭35・5・31…… 64
埼玉昭35・7・7…82, 111
東京昭35・10・6……122
広島昭36・6・7
……………… 104, 113
東京昭36・9・7…91, 123
東京昭37・2・15……3, 6
島根昭37・4・3………84
広島昭37・6・13 ………5
埼玉昭37・7・26…… 83
埼玉昭37・9・1………76
大阪昭37・12・26……19

人事院判定

昭36・1・12………… 38

判例索引

最高裁判所判例

昭30・10・4………… 10
昭37・5・24………… 33

高等裁判所判例

東京昭28・4・13
………………10,34,35
東京昭29・11・29(決)
………………………97
広島高岡山支部
昭30・6・20……… 59
高松昭32・6・11…12,43
広島昭34・5・30………8
東京昭34・6・16…… 33
福岡昭34・11・11……15
福岡昭36・3・28…… 28
広島昭36・7・3………37
大阪昭37・6・7…75,136
東京昭37・12・4 (決)
…………………73,102
東京昭38・3・20 (決)
………………………70
大阪昭38・3・26…… 57

地方裁判所判例

神戸昭23・12・24…… 8
東京昭24・11・1 (決)
……………………3,12
東京昭25・1・5(決)… 4
東京昭25・6・15 (決)
………………………10
東京昭25・6・30 (決)
…………………… 3,9
東京昭25・7・6(決)
(昭25(ヨ)1239号)…55
東京昭25・7・6(決)
(昭25(ヨ)1752号)…97
東京地八王子支部
昭25・12・16………63
東京昭26・2・1……… 8
大阪昭26・5・26…… 10
名古屋昭26・10・11(決)
…………………… 127
東京昭26・11・1………9
福岡昭27・5・2
……………70,102,115
静岡昭29・7・10…… 16
東京昭29・7・12 (決)
………………………97
横浜昭29・7・19…… 41
鳥取昭30・1・20…… 36
岡山昭30・1・29…… 59
札幌地岩見沢支部
昭30・2・11……… 44
東京昭30・4・28 (決)
………………………24
福岡昭30・10・30……28
高松昭31・1・20…… 42
徳島昭31・5・2…… 130
東京昭31・8・15 (決)
………………………40
東京昭31・8・22 (決)
………………………45
東京昭31・10・10…… 7
大阪昭31・12・1
…………… 79,99,100
高知昭31・12・28
…………………… 36,43
福岡昭32・7・20…29,30
東京昭33・7・18…… 45
東京昭34・2・3 (決)
…………………… 18,25
静岡地沼津支部
昭34・2・6…………98
大阪昭34・7・22…… 58
名古屋昭35・4・11(決)
…… …………………35
東京昭35・5・26…… 39
神戸地社支部
昭35・7・12………103
神戸地社支部
昭35・8・8……… 111
神戸昭35・8・19…… 89
東京昭35・8・31 (決)
…………………… 141
東京昭35・10・31……23
岡山昭36・6・23
……………31,38,39
東京昭36・11・17(決)
…………………72,102
東京昭36・12・17(決)
…………………… 108
東京昭37・2・14 (決)
…………………93,143
大阪昭37・4・19…… 13
仙台昭37・9・1………20

著者紹介

青《あお》 木《き》 宗《そう》 也《や》　法政大学教授
慶《けい》 谷《や》 淑《よし》 夫《お》　東京工業大学助教授
高《たか》 島《しま》 良《りよう》 一《いち》　弁 護 士

総合判例研究叢書　**労働法（10）**

昭和39年1月25日　初版第1刷印刷
昭和39年1月30日　初版第1刷発行

著作者　青木宗也
　　　　慶谷淑夫
　　　　高島良一

発行者　江草四郎

東京都千代田区神田神保町2～17
発行所　株式会社 有斐閣
電話（331）0323・0344
振替口座 東京370番

新日本印刷・稲村製本

総合判例研究叢書 労働法(10)
(オンデマンド版)

2013年2月15日　発行

著　者　青木　宗也・慶谷　淑夫・高島　良一
発行者　江草　貞治
発行所　株式会社 有斐閣
〒101-0051　東京都千代田区神田神保町2-17
TEL　03(3264)1314(編集)　03(3265)6811(営業)
URL　http://www.yuhikaku.co.jp/

印刷・製本　株式会社 デジタルパブリッシングサービス
URL　http://www.d-pub.co.jp/

AG553

ISBN4-641-91079-0
Printed in Japan